La Cuisine de Pol Martin

Couverture

- Maquette:
  LÉO CÔTÉ, d'après une maquette originale de
  ROBERT R. REID

- Photo:
  SERGE BEAUCHEMIN

Maquette intérieure

- Conception graphique:
  ANDRÉ DURANCEAU, d'après une maquette originale
  de ROBERT R. REID

- Photos:
  SERGE BEAUCHEMIN

- Dessins:
  BETTY GUERNSEY

DISTRIBUTEURS EXCLUSIFS:

- Pour le Canada
  AGENCE DE DISTRIBUTION POPULAIRE INC.,
  955, rue Amherst, Montréal 132, (514/523-1182)

- Pour l'Europe (Belgique, France, Portugal, Suisse,
  Yougoslavie et pays de l'Est)
  VANDER S.A. Muntstraat, 10 — 3000 Louvain, Belgique
                        tél.: 016/204.21 (3 lignes)

- Ventes aux libraires
  PARIS: 4, rue de Fleurus; tél.: 548 40 92
  BRUXELLES: 21, rue Defacqz; tél.: 38 69 73

- Pour tout autre pays
  DÉPARTEMENT INTERNATIONAL HACHETTE
  79, boul. Saint-Germain, Paris 6e, France; tél.: 325.22.11

La Cuisine de Pol Martin

LES ÉDITIONS DE L'HOMME *

CANADA: 955, rue Amherst, Montréal 132
EUROPE: 321, avenue des Volontaires, Bruxelles, Belgique

* Filiale du groupe Sogides Ltée

2

LES ÉDITIONS DE L'HOMME LTÉE
TOUS DROITS RÉSERVÉS
Copyright, Ottawa, 1974

Bibliothèque nationale du Québec
Dépôt légal — 2e trimestre 1974

ISBN-0-7759-0420-1

sommaire

hors-d'oeuvre froids — 64

hors-d'oeuvre chauds — 70

entrées — 75

soupes — 87

oeufs — 106

8

mets économiques — 114

soufflés et fondues — 123

poissons et crustacés — 127

viandes et volailles — 146

Avant-propos

Ce livre de cuisine explique la technique que j'enseigne au cours de mes émissions de télévision. La maîtrise de cette technique de cuisine vous permettra d'adapter les recettes à votre goût. Il deviendra très simple pour vous d'ajouter certains ingrédients ou de modifier les recettes afin d'utiliser ce que vous avez sous la main. Par exemple, la technique utilisée pour les crèmes liées avec la farine (liquide + légume) s'applique à toutes les crèmes de légumes — concombres, tomates, laitue, etc. Un autre exemple est celui du poisson sauté, qui est à la base de plusieurs mets. Le filet, trempé dans le lait, saupoudré de farine et sauté dans le beurre, la margarine ou l'huile végétale, devient « meunière » ou « provençale », selon la garniture.

C'est pour moi un cauchemar que de visiter une cuisine affligée de batteries de cuisine dans lesquelles les aliments collent et brûlent, de couteaux qui refusent de couper et d'un nombre incalculable d'appareils « aide-cuisinière » qui ne fonctionnent que durant les annonces publicitaires. Mon rêve serait d'assembler tous ces articles, de les éliminer d'un seul coup et de tout remplacer. Cependant, ce n'est pas une solution réaliste au problème. Je crois qu'une étude de notre équipement de cuisine déterminera les quelques changements ou additions nécessaires pour améliorer la situation.

Batterie de cuisine

La batterie de cuisine, tout comme un bon ami, doit être choisie avec soin; elle doit être digne de confiance, stable et de longue durée. Une sauteuse ou une marmite à fond épais vous permet de faire cuire un aliment tout doucement, sans qu'il brûle ou colle; la chaleur est distribuée de façon égale. L'ustensile idéal devrait être facile à entretenir, de forme pratique et esthétique.

Plusieurs matériaux possèdent ces qualités. La batterie de cuisine en cuivre, renforcée pour usage dans les restaurants (la Rolls Royce de la cuisine), est superbe et répond à toutes ces exigences; mais le coût en est élevé. La longévité de ces articles vous permet de les mentionner dans votre testament.

Vous pouvez aussi opter pour la fonte émaillée, offerte dans une grande variété de couleurs qui égayeront votre cuisine.

Les batteries de cuisine en acier inoxydable avec fond en cuivre (à condition que le fond de cuivre soit d'une épaisseur suffisante) et celles en acier inoxydable avec fond en aluminium sont aussi d'excellents choix.

Les batteries épaisses en aluminium sont excellentes et leur manche de métal permet de les utiliser dans le four. Cependant, il faut noter que l'aluminium affecte la couleur des sauces à base d'œufs.

Les ustensiles en fonte distribuent la chaleur de façon égale mais doivent être nettoyés immédiatement pour éviter la formation de rouille.

Chaque ustensile de cuisine doit accomplir une fonction précise. Une cuisine peut fonctionner efficacement avec un minimum d'ustensiles de cuisine; vous pouvez toujours en ajouter à la batterie de cuisine de base, au besoin.

BATTERIE DE CUISINE DE BASE

1 ou 2 cocottes rondes ou ovales *(pour mets braisés)*
— les cocottes de 10'' à 12'' sont idéales pour 4 à 6 personnes
— les couvercles doivent être bien ajustés
— les cocottes doivent pouvoir s'employer directement sur l'élément *(et non seulement dans le four)* et les manches doivent supporter la chaleur du four

2 petites casseroles profondes à fonds épais, avec couvercles *(pour les sauces, pour faire réduire les liquides, etc.)*

1 casserole large et profonde, avec couvercle *(pour certaines soupes, pour blanchir les légumes, pour le riz, etc.)*

1 sauteuse avec couvercle. Le manche doit supporter la chaleur du four *(pour sauter les aliments directement sur l'élément et*

compléter la cuisson au four, pour sauter les viandes, etc.)
— diamètre de 10" à 12" pour 4 personnes
1 plaque à rôtir

ARTICLES FACULTATIFS

— poêle à omelette
— sauteuse à bord incliné
— friteuse
— poissonnière

Couteaux

Combien de couteaux? Les couteaux en acier sont affilés facilement et conservent leur tranchant plus longtemps; cependant, il faut les nettoyer et les essuyer immédiatement après usage pour éviter qu'ils ne rouillent et ne ternissent.

Les couteaux en acier inoxydable conservent leur apparence sans soins particuliers; le tranchant coupe bien mais doit être affilé fréquemment.

Les manches de certains couteaux sont à l'épreuve des laveuses automatiques. Vérifiez avant de laver vos couteaux à l'eau très chaude.

COUTEAUX DE CUISINE

1 couteau de cuisinier de 10" — lame droite, large au manche et se terminant en pointe *(utilisé pour hacher et émincer les légumes et pour couper la viande crue, le poulet, etc.)*

1 petit couteau d'office *(couteau à toutes fins)* utilisé pour éplucher, couper et hacher.

1 couteau à trancher — lame droite et assez mince

1 fusil

1 couteau de cuisinier en acier inoxydable

VOUS POURRIEZ AJOUTER

1 couteau de cuisinier de 8"

Comment émincer

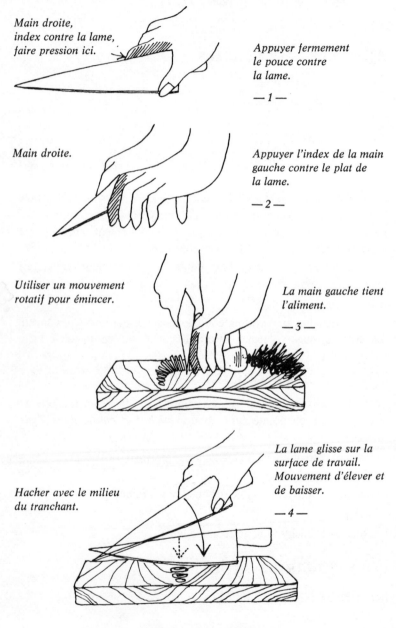

Main droite,
index contre la lame,
faire pression ici.

Appuyer fermement
le pouce contre
la lame.

— 1 —

Main droite.

Appuyer l'index de la main
gauche contre le plat de
la lame.

— 2 —

Utiliser un mouvement
rotatif pour émincer.

La main gauche tient
l'aliment.

— 3 —

Hacher avec le milieu
du tranchant.

La lame glisse sur la
surface de travail.
Mouvement d'élever et
de baisser.

— 4 —

Outils de cuisine utiles

Pour mélanger et fouetter, rien de plus utile que le fouet. Le fouet de « fil piano » en acier inoxydable de 10", avec un manche de bois ou d'acier inoxydable, demeure l'appareil le plus pratique. Le fouet « ballon » monte les blancs d'œufs et le petit fouet « fil piano » est essentiel pour certaines sauces.

Il est essentiel d'avoir une passoire ou un tamis. Essayez de les prendre en acier inoxydable.

Le presse-purée peut parfois être remplacé par le tamis. La plupart des presse-purée sont munis de trois disques, vous permettant d'obtenir des purées légères, moyennes ou épaisses. Vous pouvez réduire les soupes, fruits, légumes ainsi que plusieurs restes en purée; plusieurs recettes impliquent l'usage de cet outil de cuisine. (Ne confondez pas cet outil avec le moulin, qui est utilisé pour les ingrédients secs.)

Deux spatules de caoutchouc et deux cuillères de bois suffisent.

Plats de service

J'utilise toujours des plats d'acier inoxydable pour présenter les mets, pour une raison très pratique. Lorsque la présentation est complétée sur le plateau, le tout peut être placé au four et gardé chaud, durant la présentation des autres mets. Le marché offre aussi de la vaisselle et des plats en porcelaine et en faïence, à l'épreuve de la chaleur du four.

Surface de travail

Vos couteaux et vos comptoirs seront ruinés si vous utilisez des surfaces d'arborite ou d'acier inoxydable pour hacher ou émincer.

Le bois demeure la surface de travail par excellence; les meilleures planches à découper sont fabriquées d'érable lamellé.

Même la plus petite des cuisines doit faire usage d'une planche à découper.

Il est très simple de garder la planche fraîche et hygiénique. Après usage, enlever les restes d'aliments. Saupoudrez la planche d'un nettoyeur en poudre à base de chlore et essuyez soigneusement avec un linge humide. De cette façon, le chlore désinfecte la surface sans laisser d'odeur.

Herbes et épices

L'assaisonnement et le goût sont des formes d'expression bien personnelles. J'espère qu'en vous révélant l'usage que je fais des épices, je vous amènerai à en utiliser davantage dans vos mets de tous les jours. Certaines combinaisons sont traditionnelles, d'autres simplement personnelles.

POIVRE NOIR: plus fort que le poivre blanc, car la coque du grain de poivre est enlevée. Si vous désirez conserver l'arôme et la saveur du poivre, vous vous servirez d'un moulin à poivre. (Le moulin peu coûteux ne constitue pas un bon achat, car il doit souvent être remplacé.)

POIVRE BLANC: un peu plus doux que le poivre noir. Il est utilisé dans les sauces blanches et lorsque vous désirez éviter de petits grains noirs dans vos préparations.

Tout comme le poivre noir, le poivre blanc perd rapidement sa saveur s'il est moulu longtemps avant l'emploi.

PAPRIKA: Poudre du piment doux, rouge. S'utilise surtout pour assaisonner la goulasch, le poulet et certaines sauces piquantes. Ajoute de la couleur sans trop épicer.

POIVRE DE CAYENNE: très épicé; provient du piment frutescent aussi appelé piment enragé! A utiliser en très petites quantités, dans les ragoûts et les sauces.

MUSCADE: La noix muscade, râpée au moment de s'en servir, a plus de saveur que la muscade en poudre. Ce condiment est utilisé dans plusieurs mets. Ajoutez-en un peu dans votre sauce béchamel ou dans vos pommes de terre pilées.

MOUTARDE: anglaise, en poudre fine, et moutarde française, à l'état de pâte. Utilisées dans les sauces et vinaigrettes.

FEUILLE DE LAURIER *: Utilisée dans les soupes et potages,

les ragoûts, le court-bouillon, les poissons, etc.

THYM *: Utilisé pour les viandes, fonds (bouillons) et soupes. Une herbe assez forte, à utiliser en petites quantités.

ESTRAGON: Utilisé avec le vinaigre, la moutarde et comme condiment pour certains mets accompagnés de sauce (poulet à l'estragon). Aussi utilisé pour le court-bouillon. Essayez-en un peu dans votre vinaigrette.

CERFEUIL *: Une fine herbe délicate, utilisée comme le persil. Excellente dans les sauces, omelettes et potages.

ROMARIN: Utilisé avec les viandes et certaines sauces.

SAUGE: Utilisée dans les farces et pour rehausser la saveur du gibier.

BASILIC *: Utilisé pour les viandes et les sauces.

SEL: Le sel marin doit être moulu. Le broyeur devrait être fabriqué de bakélite pour éviter la corrosion causée par l'humidité.

Conseils pratiques

L'USAGE DES VINS, DE LA BIÈRE ET DES SPIRITUEUX: Les vins rouges et blancs sont utilisés en cuisine. Ils devraient être forts et secs. Les vins sucrés sont rarement utilisés dans la préparation des mets.

Vous pouvez remplacer le vin sec par la bière dans la plupart des recettes, ou par un fond (bouillon) et obtenir d'excellents résultats.

Lorsque vous flambez le cognac, etc., vous devez non seulement enflammer le cognac, etc., mais aussi effectuer une réduction par évaporation afin d'éliminer le goût de l'alcool.

L'USAGE DE LA MOUTARDE: Ne jamais laisser mijoter la moutarde dans une sauce. Elle devrait être ajoutée immédiatement avant de servir, pour éviter que la sauce ne devienne amère.

---

* Le *bouquet garni* est composé de ces herbes, du persil et du céleri. Généralement, ces ingrédients sont placés dans un petit sac de mousseline, ce qui permet de les enlever à volonté. Mon bouquet garni, très simple, est illustré à la page 37.

Les recettes

Marinades

1

Marinade 1

Cette marinade est idéale pour le bœuf, le veau ou le poulet. La marinade rehausse la saveur de la viande et l'attendrit. Je vous suggère donc d'utiliser une pièce de viande économique.

La marinade peut être utilisée dans la préparation et la cuisson des mets tels que le bœuf bourguignon et le coq au vin.

La marinade peut aussi servir à la préparation de sauces et pour arroser les brochettes de bœuf grillées.

BOEUF, VEAU OU POULET*
VIN SEC, ROUGE OU BLANC
¼ C. À THÉ DE THYM
2 FEUILLES DE LAURIER
2 CLOUS DE GIROFLE
20 GRAINS DE POIVRE
1 C. À THÉ DE CERFEUIL (FACULTATIF)
2 GOUSSES D'AIL ÉCRASÉES (FACULTATIF)
POIVRE NOIR DU MOULIN
1 CAROTTE PELÉE ET ÉMINCÉE
1 OIGNON PELÉ ET ÉMINCÉ
3 C. À SOUPE D'HUILE VÉGÉTALE

Placer la viande dans un bol et couvrir de vin.

Ajouter le reste des ingrédients.

Couvrir d'un papier ciré et laisser mariner au moins 12 heures au réfrigérateur.

---

* Portions moyennes: boeuf ou veau: 8 onces par personne
poulet: ½ poulet par personne

Marinade 2

Cette marinade est utilisée pour préparer les shish-kebabs d'agneau, et pour arroser ces brochettes grillées.

```
    2 LB DE LONGE OU D'ÉPAULE D'AGNEAU,
        EN CUBES D'UN POUCE*
    1 T. D'HUILE VÉGÉTALE OU D'HUILE D'OLIVE
      JUS DE 1½ CITRON
  ½ T. DE VIN BLANC SEC
    1 GOUSSE D'AIL ÉCRASÉE
   16 GRAINS DE POIVRE
  ¼ C. À THÉ DE THYM
    2 FEUILLES DE LAURIER
    1 C. À THÉ DE CERFEUIL
  ¼ C. À THÉ DE PAPRIKA
    1 C. À THÉ D'ESTRAGON
    1 CAROTTE PELÉE ET ÉMINCÉE
    1 OIGNON PELÉ ET ÉMINCÉ
      SEL
```

Mélanger tous les ingrédients dans un bol.

Couvrir d'un papier ciré et laisser mariner 12 heures au réfrigérateur.

Cette marinade se conserve 48 heures au réfrigérateur.

---

* Portions moyennes: 8 onces d'agneau par personne.

Marinade 3

On utilise cette marinade pour le poulet grillé et pour arroser le poulet.

---

1 POULET DE 2 LB, COUPÉ EN DEUX*
  PAPRIKA
2 GOUSSES D'AIL ÉCRASÉES ET HACHÉES FIN
  JUS DE 1 CITRON
½ T. D'HUILE VÉGÉTALE**
¼ C. À THÉ DE THYM
2 FEUILLES DE LAURIER
1 C. À THÉ D'ESTRAGON
  SEL
  FOIVRE DU MOULIN

Placer le poulet dans un plat en acier inoxydable.

Saler et poivrer.

Saupoudrer le poulet de paprika et ajouter le reste des ingrédients.

Couvrir d'un papier ciré et laisser mariner 12 heures au réfrigérateur.

Cette marinade se conserve 12 heures au réfrigérateur.

---

* Portions moyennes: ½ poulet par personne.

** Vous pouvez aussi utiliser l'huile d'olive; cependant, la saveur de la marinade sera différente.

4
Pâte à frire

Cette pâte est idéale pour:

> petits cubes de courgette (zucchini)
> cœurs de céleri
> petites carottes entières
> marrons
> pointes d'asperges
> crevettes, etc.

1 T. DE FARINE TOUT USAGE
¼ C. À THÉ DE SEL
2 C. À SOUPE D'HUILE VÉGÉTALE
1½ T. MOINS 3 C. À SOUPE D'EAU FROIDE
2 BLANCS D'OEUFS

Mélanger la farine et le sel dans un bol.

Incorporer l'huile végétale et l'eau froide à la farine.

Laisser reposer 30 minutes au réfrigérateur.

Monter les blancs d'œufs en neige.

Retirer la pâte du réfrigérateur.

Soigneusement incorporer les blancs d'œufs à la pâte.

5
Pâte à crêpes

(20 crêpes)

---

1 T. DE FARINE TOUT USAGE TAMISÉE
½ C. À THÉ DE SEL
4 GROS OEUFS
1¼ T. DE LIQUIDE (½ LAIT, ½ EAU)
5 C. À SOUPE DE BEURRE CLARIFIÉ FONDU, TIÈDE
1 C. À THÉ DE PERSIL FRAIS HACHÉ FIN

Mélanger la farine et le sel dans un bol.

Dans un deuxième bol, battre légèrement les œufs avec un fouet et ajouter le liquide. Bien mélanger.

Incorporer la farine au liquide à l'aide d'un fouet. La pâte devrait avoir la consistance de la crème épaisse.

Ajouter le beurre clarifié en un filet mince en fouettant constamment.

Passer la pâte à la passoire fine ou au tamis et ajouter le persil haché.

TECHNIQUE — COMMENT FAIRE LES CRÊPES

Utiliser une poêle à crêpes en acier de 8'' de diamètre.

1) Faire fondre 1 c. à soupe de beurre dans la poêle à crêpes à feu vif.

2) Retirer la poêle du feu.

3) Essuyer la poêle avec une serviette de papier afin d'enlever l'excès de beurre.

4) Verser juste assez de pâte dans la poêle pour couvrir le fond.

5) Faire cuire la crêpe à feu vif.

Les crêpes devraient être très minces.

Si les crêpes collent au fond de la poêle, répéter les trois premières étapes.

Les crêpes se conservent 3 mois au congélateur. Envelopper d'un papier ciré.

24

Crêpes

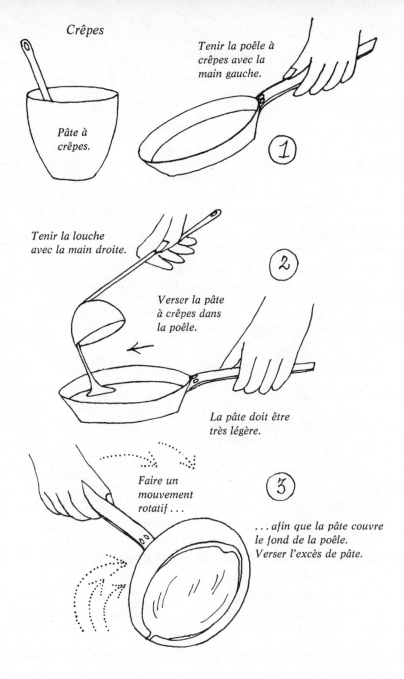

Pâte à crêpes.

Tenir la poêle à crêpes avec la main gauche.

①

Tenir la louche avec la main droite.

②

Verser la pâte à crêpes dans la poêle.

La pâte doit être très légère.

Faire un mouvement rotatif . . .

③

. . . afin que la pâte couvre le fond de la poêle. Verser l'excès de pâte.

Farces

6
Farce 1

(2 t. de farce)

Pour la volaille, le bœuf ou le veau. Cette recette suffit pour un poulet de 3 à 4 lb.

> 3 *C. À SOUPE DE BEURRE*
> ½ *T. DE CÉLERI HACHÉ FIN*
> ½ *T. D'OIGNONS HACHÉS FIN*
> 3 *POMMES PELÉES, VIDÉES ET HACHÉES FIN*
> 2 *ÉCHALOTES SÈCHES HACHÉES FIN (FACULTATIF)*
> 2 *C. À SOUPE DE PERSIL FRAIS HACHÉ FIN*
> 1 *C. À THÉ DE CERFEUIL*
> 1 *PINCÉE DE THYM*
> ½ *C. À THÉ DE SAUGE*
> ½ *C. À THÉ D'ESTRAGON*
> *SEL*
> *POIVRE DU MOULIN*
> 1 *T. DE CHAPELURE*
> 1 *OEUF, LÉGÈREMENT BATTU*

Dans une casserole moyenne épaisse, faire fondre 2 c. à soupe de beurre à feu vif, jusqu'à l'apparition d'écume.

Réduire à feu moyen et ajouter tous les ingrédients, *sauf* les deux derniers. Faire cuire 15 minutes en remuant à l'occasion.

Corriger l'assaisonnement.

Retirer la casserole du feu.

Incorporer la chapelure, l'œuf battu et le reste du beurre à la farce.

Cette farce se conserve 2 à 3 jours au réfrigérateur. Couvrir d'un papier ciré beurré.

7

Farce 2

Cette recette suffit pour un poisson de 2 lb (sole de Douvres, truite, doré, etc.)

---

3 C. À SOUPE DE BEURRE
1 LB DE CHAMPIGNONS LAVÉS ET HACHÉS FIN
1 OIGNON PELÉ ET HACHÉ FIN
2 C. À SOUPE DE PERSIL FRAIS HACHÉ FIN
1 C. À SOUPE DE CERFEUIL
1 PINCÉE DE THYM
  SEL
  POIVRE DU MOULIN
¼ C. À THÉ DE FENOUIL
¼ T. DE CHAPELURE
2 C. À SOUPE DE CRÈME 35% (OU 1 OEUF BATTU)
2 GOUTTES DE SAUCE TABASCO

Dans une casserole moyenne épaisse, faire fondre le beurre à feu vif, jusqu'à l'apparition d'écume.

Réduire à feu moyen et ajouter tous les ingrédients, *sauf* les trois derniers. Faire cuire 15 minutes en remuant fréquemment.

Corriger l'assaisonnement.

Retirer la casserole du feu.

Ajouter les trois derniers ingrédients et bien mélanger.

Cette farce se conserve 24 heures, au réfrigérateur. Couvrir d'un papier ciré beurré.

Beurres

8
Beurre d'ail

Ce beurre s'emploie avec les entrecôtes, les grillades, les langoustines, le pain d'ail et pour préparer les escargots.

½ LB DE BEURRE NON SALÉ À LA TEMPÉRATURE
    DE LA PIÈCE
2 C. À SOUPE DE PERSIL FRAIS HACHÉ FIN
1 C. À THÉ DE CERFEUIL
4 OU 5 GOUSSES D'AIL ÉCRASÉES ET HACHÉES FIN
    SEL
    POIVRE DU MOULIN
1 C. À SOUPE D'ÉCHALOTES SÈCHES HACHÉES FIN
    JUS DE ¼ DE CITRON

Bien mélanger tous les ingrédients dans un bol.

Corriger l'assaisonnement.

Conserver le beurre dans une feuille de papier d'aluminium.

Ce beurre se conserve 3 mois au congélateur.

Beurre d'ail

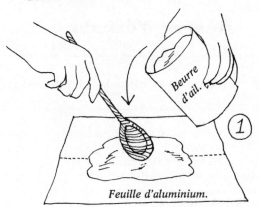

Beurre
d'ail.

①

Feuille d'aluminium.

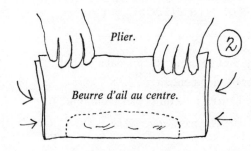

Plier.

②

Beurre d'ail au centre.

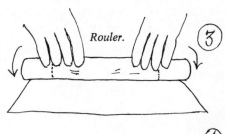

Rouler.

③

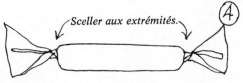

Sceller aux extrémités.

④

CONGELER

9

Beurre d'échalote

Ce beurre s'emploie avec les entrecôtes et le poisson grillés.

½ *LB DE BEURRE NON SALÉ À LA TEMPÉRATURE*
   DE LA PIÈCE
2 *C. À SOUPE DE PERSIL FRAIS HACHÉ FIN*
1 *C. À SOUPE DE CERFEUIL*
   SEL
   POIVRE DU MOULIN
2 *C. À SOUPE D'ÉCHALOTES SÈCHES HACHÉES FIN*
   JUS DE ¼ DE CITRON

Bien mélanger tous les ingrédients dans un bol.

Corriger l'assaisonnement.

Conserver le beurre dans un papier d'aluminium.

Ce beurre se conserve 3 mois au congélateur.

10

Beurre de saumon

Ce beurre s'emploie dans la préparation de canapés et avec la sole de Douvres grillée.

En France, les grands chefs utilisent ce beurre pour rehausser la saveur des sauces pour les poissons.

---

3 ONCES DE SAUMON FRAIS OU FUMÉ
½ LB DE BEURRE NON SALÉ, À LA TEMPÉRATURE
    DE LA PIÈCE
1 C. À THÉ DE CERFEUIL
    JUS DE ¼ DE CITRON
1 PETITE PINCÉE DE POIVRE DE CAYENNE
    SEL
    POIVRE DU MOULIN

Piler le saumon finement au mortier et le passer à travers un tamis fin ou une passoire.

Si vous ne possédez pas de mortier, passez le saumon au hachoir au moins deux fois et passez-le à travers un tamis fin ou une passoire.

Bien mélanger tous les ingrédients dans un bol.

Corriger l'assaisonnement.

Conserver le beurre dans un papier d'aluminium.

Ce beurre se conserve 3 mois au congélateur.

11

Beurre d'anchois

Ce beurre s'emploie dans la préparation de canapés et avec le saumon grillé ou sauté.

2½ ONCES DE FILETS D'ANCHOIS
½ LB DE BEURRE NON SALÉ À LA TEMPÉRATURE
    DE LA PIÈCE
1 C. À THÉ DE CERFEUIL
    JUS DE ¼ DE CITRON
1 PETITE PINCÉE DE POIVRE DE CAYENNE
    SEL
    POIVRE DU MOULIN

Piler les filets d'anchois finement au mortier et les passer à travers un tamis fin ou une passoire.

Si vous ne possédez pas de mortier, passer les filets d'anchois au hachoir au moins deux fois et passez-les à travers un tamis fin ou une passoire.

Bien mélanger tous les ingrédients dans un bol.

Corriger l'assaisonnement.

Conserver ce beurre dans un papier d'aluminium.

Ce beurre se conserve 3 mois au congélateur.

12

Beurre manié

Ce beurre s'emploie pour lier (épaissir) les sauces.

---

2 C. À SOUPE DE BEURRE, À LA TEMPÉRATURE
DE LA PIÈCE
1 C. À SOUPE DE FARINE TOUT USAGE

Mélanger les ingrédients jusqu'à ce qu'ils forment une pâte lisse.

13

Beurre clarifié

Le beurre clarifié s'emploie dans la préparation du « roux » et pour faire sauter les viandes ou légumes. Le beurre clarifié brûle moins rapidement que le beurre frais.

Placer une demi-livre de beurre dans un bol d'acier inoxydable ou dans la casserole supérieure d'un bain-marie. Poser le récipient sur une casserole à demi remplie d'eau presque bouillante, à feu doux.

Ne pas remuer. Les impuretés sont enlevées du beurre fondu en:

a) passant le beurre fondu à la mousseline, ou en

b) laissant refroidir le beurre. Les impuretés tombent au fond et le beurre clarifié s'enlève facilement à l'aide d'une cuiller ou d'une louche.

Ce beurre se conserve environ 2 semaines au réfrigérateur.

Fonds (bouillons) de base

14

Technique:
La clarification des fonds
(bouillons)

Pour 4 à 12 t. de fond (bouillon)

Fond (bouillon) de bœuf

MÉLANGER
      ½ LB DE BOEUF HACHÉ MAIGRE
      2 BLANCS D'OEUFS
      ÉPICES DE VOTRE CHOIX

Fond (bouillon) de veau ou de poulet

MÉLANGER
      ½ LB DE VEAU HACHÉ
      2 BLANCS D'OEUFS
      ÉPICES DE VOTRE CHOIX

Ajouter le mélange au fond (bouillon).

Porter au point d'ébullition et laisser mijoter à feu doux.

Les impuretés flottent à la surface et s'enlèvent à l'aide d'une écumoire.

15

Fond (bouillon) de boeuf (1)

Ce fond (bouillon) s'emploie dans la préparation des sauces brunes, de la soupe à l'oignon, du bœuf braisé, etc.

Quantité d'eau	Durée de la cuisson	
2½ PINTES	2 À 3 HEURES	POUR 1½ LB DE BOEUF
2½ PINTES	6 À 8 HEURES	POUR 3 LB D'OS (BOEUF ET/OU VEAU)

BOUQUET GARNI COMPOSÉ DE:
    ½ C. À THÉ DE THYM
    2 FEUILLES DE LAURIER
    1 C. À THÉ DE CERFEUIL
    ½ C. À THÉ DE BASILIC
    1 CLOU DE GIROFLE
    PERSIL FRAIS
    CÉLERI (VOIR ÉPICES)

2 CAROTTES MOYENNES EN CUBES
2 OIGNONS MOYENS EN CUBES
2 BRANCHES DE CÉLERI EN CUBES
    SEL
    POIVRE DU MOULIN
2 OIGNONS MOYENS, AVEC LA PELURE, COUPÉS EN DEUX

Placer le bœuf, ou les os, et l'eau dans une marmite. Porter au point d'ébullition à feu vif et écumer.

Ajouter les ingrédients, *sauf* le dernier, au liquide bouillant, saler et poivrer.

Placer les oignons réservés à plat dans une sauteuse brûlante et cuire jusqu'à ce qu'ils noircissent. Ajouter ces oignons au fond (bouillon) pour lui donner une couleur foncée.

Laisser mijoter (voir durée de la cuisson au début de la recette).

Passer le fond (bouillon) à la mousseline ou à la passoire fine.

Ce fond (bouillon) se conserve 3 mois au congélateur.
Ce fond (bouillon) se conserve 7 à 10 jours au réfrigérateur.

Fond (bouillon) de boeuf (2)

S'emploie dans la préparation des sauces brunes, de la soupe à l'oignon, du bœuf braisé, etc.

---

1 CUBE OU ½ ONCE DE FOND (BOUILLON)
    DE BOEUF DÉSHYDRATÉ
4 T. D'EAU BOUILLANTE
    SEL
    POIVRE DU MOULIN

    BOUQUET GARNI COMPOSÉ DE:
¼ C. À THÉ DE THYM
½ C. À THÉ DE CERFEUIL
1 FEUILLE DE LAURIER
¼ C. À THÉ DE BASILIC
1 CLOU DE GIROFLE
    PERSIL FRAIS
    CÉLERI (VOIR ÉPICES)

Dans une casserole moyenne, mélanger le fond (bouillon) de bœuf à l'eau bouillante, avec un fouet. Saler et poivrer au goût. Ajouter le bouquet garni et laisser mijoter 30 à 40 minutes. Retirer le bouquet garni et passer à la mousseline ou à la passoire fine.

Ce fond (bouillon) se conserve 3 mois au congélateur.
Ce fond (bouillon) se conserve 7 à 10 jours au réfrigérateur.

Bouquet garni

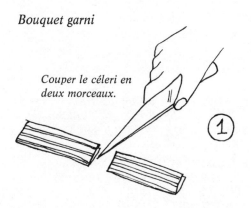

Couper le céleri en
deux morceaux.

①

Placer les épices dans un morceau de céleri:

thym   estragon   cerfeuil.

Persil frais

②

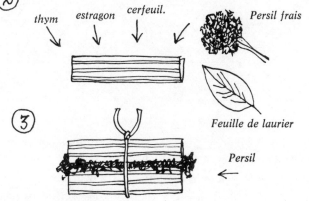

Feuille de laurier

③

Persil

Retenir les épices en place
avec le deuxième morceau de céleri.
Attacher avec un morceau de ficelle.

Fond (bouillon) de poulet (1)

S'emploie dans la préparation des soupes crèmes, des sauces blanches, soupes de légumes, etc.

---

1 CHAPON DE 3 À 4 LB, BIEN NETTOYÉ
2 CAROTTES MOYENNES EN CUBES
2 BRANCHES DE CÉLERI EN CUBES
2 GROS OIGNONS PELÉS, EN CUBES

BOUQUET GARNI COMPOSÉ DE:
½ C. À THÉ DE THYM
2 FEUILLES DE LAURIER
1 C. À THÉ DE CERFEUIL
½ C. À THÉ DE ROMARIN
1 CLOU DE GIROFLE
PERSIL FRAIS
CÉLERI (VOIR ÉPICES)

SEL
POIVRE DU MOULIN
2½ À 3 PINTES D'EAU

Placer tous les ingrédients dans une marmite et porter le liquide au point d'ébullition, à feu vif. Ecumer, saler et poivrer au goût.

Réduire à feu moyen et laisser mijoter 2½ heures.

Percer la cuisse du chapon. Le chapon est cuit si aucune trace de sang n'est apparente.

Retirer le chapon du liquide et jeter les légumes. Passer le fond (bouillon) à la mousseline ou à la passoire fine.

Laisser refroidir et enlever le gras.

Ce fond (bouillon) se conserve 3 mois au congélateur.
Ce fond (bouillon) se conserve 7 à 10 jours au réfrigérateur.

18

Fond (bouillon) de poulet (2)

S'emploie dans la préparation des sauces blanches, des soupes crèmes, soupes de légumes, etc.

---

1 CUBE OU ½ ONCE DE FOND (BOUILLON) DE POULET
    DÉSHYDRATÉ
4 T. D'EAU BOUILLANTE
    SEL
    POIVRE DU MOULIN

    BOUQUET GARNI COMPOSÉ DE:
¼ C. À THÉ DE THYM
1 FEUILLE DE LAURIER
½ C. À THÉ DE CERFEUIL
¼ C. À THÉ DE ROMARIN
1 CLOU DE GIROFLE
    CÉLERI (VOIR ÉPICES)

Dans une casserole moyenne, mélanger le fond (bouillon) de poulet à l'eau bouillante, avec un fouet. Saler et poivrer au goût.

Ajouter le bouquet garni et laisser mijoter 30 à 40 minutes.

Retirer le bouquet garni et passer à la mousseline ou à la passoire fine.

Ce fond (bouillon) se conserve 3 mois au congélateur.
Ce fond (bouillon) se conserve 7 à 10 jours au réfrigérateur.

19
Court-bouillon

S'emploie dans la préparation des sauces pour poissons, soupes et casseroles de poisson et pour pocher les poissons et crustacés.

---

1 C. À SOUPE DE BEURRE
2 LB D'OS DE POISSON (D'UN POISSON À CHAIR
    BLANCHE, MAIGRE)
2 CAROTTES MOYENNES ÉMINCÉES
1 POIREAU ÉMINCÉ
2 OIGNONS ÉMINCÉS
1 BRANCHE DE CÉLERI ÉMINCÉE
20 CHAMPIGNONS ÉMINCÉS (FACULTATIF)
½ C. À THÉ DE THYM
2 OU 3 FEUILLES DE LAURIER
18 GRAINS DE POIVRE
2 CLOUS DE GIROFLE
1 C. À THÉ DE CERFEUIL
    QUELQUES BRANCHES DE PERSIL FRAIS
½ C. À THÉ D'ESTRAGON
¼ C. À THÉ DE GRAINES DE FENOUIL
1½ T. DE VIN BLANC SEC, OU JUS DE 1 CITRON,
    OU 3 C. À SOUPE DE VINAIGRE BLANC
2½ PINTES D'EAU FROIDE
    SEL
    POIVRE DU MOULIN

Dans une grande casserole, faire fondre le beurre à feu vif jusqu'à l'apparition d'écume. Réduire à feu doux. Ajouter les os de poisson, les légumes et les épices. Couvrir et laisser mijoter 15 à 18 minutes.

Ajouter le vin blanc (ou le jus de citron, ou le vinaigre blanc) et l'eau. Saler et poivrer.

Porter le liquide au point d'ébullition et laisser mijoter, sans couvercle, 35 minutes.

Passer le court-bouillon à la mousseline ou à la passoire fine.

Ce court-bouillon se conserve 3 mois au congélateur.
Ce court-bouillon se conserve 7 à 10 jours au réfrigérateur.

Fond (bouillon) de légumes

S'emploie dans la préparation des soupes crèmes et soupes de légumes.

1	C. À SOUPE DE BEURRE
2	OIGNONS MOYENS PELÉS ET ÉMINCÉS
2	CAROTTES MOYENNES ÉMINCÉES
2	BRANCHES DE CÉLERI ÉMINCÉES
1	POIREAU ÉMINCÉ
2½	PINTES D'EAU
	SEL
	POIVRE DU MOULIN
	BOUQUET GARNI COMPOSÉ DE:
½	C. À THÉ DE THYM
2	FEUILLES DE LAURIER
½	C. À THÉ DE BASILIC
	PERSIL FRAIS
	CÉLERI (VOIR ÉPICES)

Dans une grande casserole, faire fondre le beurre à feu vif jusqu'à l'apparition d'écume. Ajouter tous les légumes, couvrir et laisser mijoter les légumes 10 minutes à feu doux. Remuer à l'occasion.

Ajouter l'eau et le bouquet garni. Saler et poivrer au goût.

Porter le liquide au point d'ébullition et laisser mijoter, à feu moyen, 35 à 40 minutes.

Passer le liquide à la mousseline ou à la passoire fine.

Ce fond (bouillon) se conserve 3 mois au congélateur.
Ce fond (bouillon) se conserve 7 à 10 jours au réfrigérateur.

Sauces de base

21

Le "roux"

Le roux est un mélange de beurre ou autre corps gras et de farine utilisé pour lier (épaissir) les sauces et soupes crèmes.

Pour ⅔ t. de sauce *

Quantité de farine	Quantité de corps gras**	Quantité de liquide	
1 C. À SOUPE	1 C. À SOUPE	1 T.	LÉGÈRE
1½ C. À SOUPE	1½ C. À SOUPE	1 T.	ÉPAISSE

Un roux cuit se conserve 2 à 3 semaines au réfrigérateur. Couvrir de papier ciré.

Un roux cuit se conserve 3 mois au congélateur.

22

Technique:
La préparation du roux blanc

Faire fondre le corps gras *** dans une petite casserole épaisse.

Ajouter une quantité égale de farine et faire cuire 4 minutes à feu doux; remuer constamment avec une cuiller de bois.

Le roux est cuit lorsqu'il bouillonne considérablement.

---

   * Basé sur une durée de cuisson de 15 à 20 minutes.
  ** Beurre, margarine, gras, graisse de rôti, etc.
*** Beurre, margarine ou graisse de poulet rôti.

Technique:
La préparation du roux brun

Faire chauffer le four à 250 °F.

Faire fondre le corps gras * dans une petite casserole allant au four.

Ajouter une quantité égale de farine et faire cuire 4 minutes à feu doux; remuer constamment avec une cuiller de bois.

Placer la casserole au four et faire cuire le roux, sans couvercle; remuer fréquemment.

Le roux est cuit lorsqu'il devient brun pâle.

Ne pas laisser brûler la farine.

---

* Beurre, margarine ou graisse de boeuf rôti.

Sauces blanches

24

Sauce béchamel légère

(3 ½ t. de sauce)

Cette sauce s'emploie dans les casseroles de poisson et de volaille, avec les pâtes alimentaires, le macaroni et fromage.

---

4 C. À SOUPE DE BEURRE OU DE MARGARINE
4 C. À SOUPE DE FARINE
4 T. DE LAIT CHAUD
1 OIGNON PIQUÉ D'UN CLOU DE GIROFLE
  SEL
  POIVRE BLANC DU MOULIN
1 PINCÉE DE MUSCADE

Dans une casserole moyenne, épaisse, faire fondre le beurre à feu vif jusqu'à l'apparition d'écume. Ajouter la farine et faire cuire le roux 5 minutes à feu moyen, sans couvercle, en remuant constamment.

Retirer la casserole du feu et ajouter 1 t. de lait chaud. Bien mélanger avec une cuiller de bois.

Réduire à feu doux, remettre la casserole sur le feu et ajouter le reste du lait chaud, 1 t. à la fois, en remuant constamment.

Ajouter l'oignon. Saler, poivrer et ajouter la muscade.

Laisser mijoter la sauce 30 minutes, sans couvercle.

Remuer à l'occasion.

Enlever l'oignon avant d'utiliser la sauce.

Cette sauce se conserve 2 jours au réfrigérateur. Couvrir d'un papier ciré beurré, en pressant le papier ciré sur la surface de la sauce.

Sauce béchamel épaisse

(3½ t. de sauce)

Cette sauce s'emploie dans les casseroles de poisson et de volaille, avec les pâtes alimentaires, le macaroni et fromage.

---

6 *C. À SOUPE DE BEURRE*
6 *C. À SOUPE DE FARINE*
4½ *T. DE LAIT CHAUD*
1 *OIGNON PIQUÉ D'UN CLOU DE GIROFLE*
SEL
POIVRE BLANC DU MOULIN
1 *PINCÉE DE MUSCADE*

Utiliser la technique décrite à la recette # 24 (Sauce béchamel légère).

Sauce blanche préparée avec un fond (bouillon) de poulet

(3 t. de sauce moyenne)

Cette sauce s'emploie avec le poulet et les vol-au-vent, dans les casseroles et dans la préparation de sauces.

---

4 C. À SOUPE DE BEURRE
4 C. À SOUPE DE FARINE
3½ T. DE FOND (BOUILLON) DE POULET CHAUD
(RECETTES 17 ET 18)
½ T. DE CRÈME 15% (CRÈME LÉGÈRE)
SEL
POIVRE BLANC DU MOULIN
1 PETITE PINCÉE DE POIVRE DE CAYENNE
2 JAUNES D'OEUFS
1 C. À SOUPE DE CRÈME 15% (CRÈME LÉGÈRE)

Dans une casserole, faire fondre le beurre à feu vif jusqu'à l'apparition d'écume.

Réduire à feu moyen, ajouter la farine et faire cuire le « roux » sans couvercle, 5 minutes, en remuant constamment avec une cuiller de bois.

Retirer la casserole du feu et ajouter 1 t. de fond (bouillon) chaud. Bien mélanger avec une cuiller de bois.

Réduire à feu doux.

Remettre la casserole au-dessus du feu et ajouter le reste du fond (bouillon) de poulet, 1 t. à la fois, en remuant constamment.

Ajouter ½ t. de crème, saler et poivrer, et ajouter le poivre de Cayenne.

Porter la sauce au point d'ébullition à feu vif, réduire à feu doux et faire mijoter la sauce, sans couvercle, 30 minutes, en remuant à l'occasion.

Retirer la casserole du feu.

Avant de servir la sauce, bien mélanger les deux jaunes d'œufs et la c. à soupe de crème dans un petit bol. Incorporer les jaunes d'œufs et la crème à la sauce avec un fouet et servir immédiatement.

La sauce, sans l'addition finale des œufs et de la crème, se conserve 2 jours au réfrigérateur. Couvrir d'un papier ciré beurré, en pressant le papier ciré sur la surface de la sauce.

27

Sauce pour les poissons (préparée avec un court-bouillon)

(3½ t.)

Cette sauce se sert avec les poissons à chair pâle et s'emploie pour préparer les casseroles de poisson, les coquilles Saint-Jacques, le homard Thermidor et le homard Newburg.

4½ C. À SOUPE DE BEURRE
1 C. À SOUPE D'ÉCHALOTES SÈCHES HACHÉES FIN
1 T. DE VIN BLANC SEC
4 C. À SOUPE DE FARINE
4 T. DE COURT-BOUILLON CHAUD (RECETTE 19)
    SEL
    POIVRE BLANC DU MOULIN
2 C. À SOUPE DE CRÈME 35% (CRÈME ÉPAISSE)
    (FACULTATIF)

Dans une casserole épaisse, moyenne, faire fondre ½ c. à soupe de beurre à feu vif, jusqu'à l'apparition d'écume. Réduire à feu doux, ajouter les échalotes hachées et laisser mijoter 2 minutes, sans couvercle, en remuant à l'occasion.

Ajouter le vin et porter le liquide au point d'ébullition, à feu vif. Laisser réduire le vin de deux tiers.

Dans une deuxième casserole, faire fondre le reste du beurre à feu vif, jusqu'à l'apparition d'écume. Réduire à feu moyen, ajouter la farine et laisser cuire le roux 3 minutes, sans couvercle, en remuant constamment avec une cuiller de bois.

Retirer la deuxième casserole du feu et ajouter 1 t. de court-bouillon. Bien mélanger avec une cuiller de bois. Remettre la casserole au-dessus du feu et ajouter le reste du court-bouillon, 1 t. à la fois, en remuant constamment.

Ajouter le vin réduit à la sauce, saler et poivrer.

Porter la sauce au point d'ébullition à feu vif, réduire à feu doux et laisser mijoter la sauce 35 minutes, sans couvercle, en remuant à l'occasion.

Passer la sauce à la passoire.

Avant de servir, ajouter 2 c. à soupe de crème 35%.

Cette sauce se conserve 2 jours au réfrigérateur. Couvrir d'un papier ciré beurré, en pressant le papier ciré sur la surface de la sauce.

Sauces brunes

28

Sauce brune légère

(3½ t. de sauce)

Cette sauce s'emploie dans la préparation de plusieurs autres sauces brunes, de ragoûts, du bœuf bourguignon, etc.

4½ C. À SOUPE DE BEURRE, MARGARINE OU
   GRAISSE DE RÔTI DE BOEUF
1 PETITE CAROTTE EN CUBES
½ BRANCHE DE CÉLERI EN CUBES
1 PETIT OIGNON EN CUBES
1 PINCÉE DE THYM
1 FEUILLE DE LAURIER
¼ C. À THÉ DE CERFEUIL
4½ C. À SOUPE DE FARINE TOUT USAGE
4½ T. DE FOND (BOUILLON) DE BOEUF CHAUD
   (RECETTES 15 ET 16)
SEL
POIVRE DU MOULIN

Faire chauffer le four à 250 °F.

Dans une petite casserole allant au four, faire fondre le corps gras à feu vif. Réduire à feu moyen, ajouter les légumes et faire cuire 7 minutes, sans couvercle, en remuant fréquemment.

Ajouter les épices et faire cuire 2 minutes, sans couvercle, en remuant à l'occasion.

Ajouter la farine aux légumes, bien mélanger avec une cuiller de bois et placer la casserole au four. Remuer à l'occasion. Faire cuire le mélange jusqu'à ce que la farine soit dorée.

Retirer la casserole du four et laisser reposer quelques minutes.

Ajouter 1 t. de fond (bouillon) de boeuf au roux. Bien mélanger avec une cuiller de bois. Remettre la casserole au-dessus d'un feu doux. Ajouter le reste du fond (bouillon), 1 t. à la fois, en remuant constamment.

Porter la sauce au point d'ébullition à feu vif, saler et poivrer. Réduire à feu doux et laisser mijoter la sauce 30 minutes, sans couvercle.

Cette sauce se conserve une semaine au réfrigérateur. Couvrir d'un papier ciré beurré, en pressant le papier ciré sur la surface de la sauce.

Sauce brune épaisse

(3½ t. de sauce)

Cette sauce s'emploie dans la préparation de plusieurs autres sauces brunes, de ragoûts, du bœuf bourguignon, etc.

---

6 C. À SOUPE DE BEURRE, MARGARINE OU
    GRAISSE DE RÔTI DE BOEUF
1 PETITE CAROTTE EN CUBES
½ BRANCHE DE CÉLERI EN CUBES
1 PETIT OIGNON PELÉ EN CUBES
1 PINCÉE DE THYM
1 FEUILLE DE LAURIER
¼ DE C. À THÉ DE CERFEUIL
6 C. À SOUPE DE FARINE TOUT USAGE
4½ T. DE FOND (BOUILLON) DE BOEUF
    (RECETTES 15 ET 16)
    SEL
    POIVRE DU MOULIN

Utiliser la technique décrite à la recette # 28 (Sauce brune légère).

30

Sauce bourguignonne

(2½ t. de sauce)

Cette sauce accompagne la fondue bourguignonne, les entre-côtes, les côtelettes de porc et de veau, les ris de veau et s'emploie dans la préparation des crêpes farcies aux champignons, etc.

---

1 C. À SOUPE DE BEURRE
1 C. À SOUPE DE CIBOULETTE FRAÎCHE HACHÉE FIN
   POIVRE DU MOULIN OU
1 C. À SOUPE DE CIBOULETTE HACHÉE FIN
2 T. DE VIN ROUGE SEC
1 FEUILLE DE LAURIER
2 T. DE SAUCE BRUNE ÉPAISSE CHAUDE (RECETTE 29)
1 C. À SOUPE DE PERSIL FRAIS HACHÉ FIN

Dans une casserole moyenne, épaisse, faire fondre le beurre à feu vif jusqu'à l'apparition d'écume. Réduire à feu moyen, ajouter les échalotes sèches et faire cuire 2 minutes, sans couvercle, en remuant à l'occasion.

Ajouter le vin rouge, le poivre (ou la ciboulette) et la feuille de laurier.

Faire réduire le vin de deux tiers, à feu vif.

Ajouter la sauce brune au vin, porter la sauce au point d'ébullition et laisser mijoter la sauce, à feu doux, 20 minutes, sans couvercle, en remuant à l'occasion.

Retirer la feuille de laurier et garnir de persil haché.

Cette sauce se conserve 2 à 3 jours au réfrigérateur. Couvrir d'un papier ciré beurré, en pressant le papier ciré sur la surface de la sauce.

31

Sauce à la diable

(1¾ t. de sauce)

Cette sauce accompagne les côtelettes de porc, les entrecôtes grillées, les shish-kebabs, le filet de porc.

---

6 ONCES DE VIN BLANC SEC
3 C. À SOUPE DE VINAIGRE DE VIN
2 C. À SOUPE D'ÉCHALOTES SÈCHES HACHÉES FIN
½ C. À THÉ DE POIVRE DU MOULIN
2 T. DE SAUCE BRUNE LÉGÈRE CHAUDE (RECETTE 28)
   SEL
1 PINCÉE DE POIVRE DE CAYENNE
1 C. À SOUPE DE PERSIL FRAIS HACHÉ FIN
1 C. À THÉ DE CIBOULETTE HACHÉE FIN
1 C. À THÉ DE MOUTARDE SÈCHE ANGLAISE
   JUS DE ¼ DE CITRON

Dans une casserole moyenne, porter le vin, le vinaigre de vin, les échalotes sèches et le poivre au point d'ébullition, à feu vif, et faire réduire le liquide de deux tiers.

Ajouter la sauce brune, saler et poivrer et ajouter le poivre de Cayenne.

Porter la sauce au point d'ébullition, à feu vif, réduire à feu doux et laisser mijoter la sauce 30 minutes, sans couvercle, en remuant à l'occasion.

Mélanger le reste des ingrédients à la sauce.

Servir immédiatement.

Cette sauce se conserve 2 à 3 jours au réfrigérateur. Couvrir d'un papier ciré beurré, en pressant le papier ciré sur la surface de la sauce.

32

Sauce brune aux champignons

(2½ t. de sauce)

Cette sauce accompagne le veau, les entrecôtes, le filet, la fondue bourguignonne.

---

2 C. À SOUPE DE BEURRE
½ LB DE CHAMPIGNONS NETTOYÉS ET ÉMINCÉS
2 ÉCHALOTES SÈCHES HACHÉES FIN
  SEL
  POIVRE DU MOULIN
1 T. DE VIN BLANC SEC
2½ T. DE SAUCE BRUNE LÉGÈRE CHAUDE (RECETTE 28)
½ C. À THÉ DE PURÉE DE TOMATE
1 PINCÉE D'ESTRAGON
1 PINCÉE DE THYM
1 PINCÉE DE CERFEUIL
3 C. À SOUPE DE CRÈME 35% (CRÈME ÉPAISSE)
  (FACULTATIF)
1 C. À SOUPE DE PERSIL FRAIS HACHÉ FIN

Dans une casserole moyenne, épaisse, faire fondre le beurre à feu vif jusqu'à l'apparition d'écume. Réduire à feu moyen-vif, ajouter les champignons et les échalotes et faire sauter 5 minutes, sans couvercle, en remuant fréquemment.

Saler et poivrer les champignons.

Ajouter le vin blanc, porter le liquide au point d'ébullition et faire réduire le liquide de deux tiers.

Ajouter la sauce brune, la purée de tomate et les épices. Saler et poivrer.

Porter la sauce au point d'ébullition, à feu vif, réduire à feu doux et laisser mijoter 30 minutes, sans couvercle, en remuant à l'occasion.

Avant de servir, ajouter la crème et garnir de persil haché.

Sauce tomate

33

Sauce tomate simple

(2 t. de sauce)

Cette sauce accompagne le veau et s'emploie dans la préparation des casseroles, des crêpes farcies et des pâtes alimentaires.

2 C. À SOUPE DE BEURRE
1 PETIT OIGNON EN CUBES
1 PETITE CAROTTE EN CUBES
½ BRANCHE DE CÉLERI EN CUBES
2 C. À SOUPE DE FARINE
1 BOÎTE DE 28 ONCES DE TOMATES ÉGOUTTÉES
    ET HACHÉES
1 T. DE SAUCE BRUNE LÉGÈRE CHAUDE (RECETTE 28)
1 C. À SOUPE DE SUCRE

  BOUQUET GARNI COMPOSÉ DE:
1 PINCÉE DE THYM
1 FEUILLE DE LAURIER
¼ C. À THÉ D'ORIGAN
½ C. À THÉ DE CERFEUIL
1 GOUSSE D'AIL ÉCRASÉE ET HACHÉE FIN
  PERSIL FRAIS
  CÉLERI (VOIR ÉPICES)

½ C. À THÉ DE PURÉE DE TOMATE
1 PETITE PINCÉE DE POIVRE DE CAYENNE
  SEL
  POIVRE DU MOULIN

Dans une casserole, faire fondre le beurre à feu vif jusqu'à l'apparition d'écume. Réduire à feu moyen, ajouter les oignons,
carottes et céleri et faire cuire les légumes 5 minutes, sans couvercle, en remuant à l'occasion.

Ajouter la farine aux légumes et faire cuire le « roux » 3 minutes, sans couvercle, en remuant constamment.

Ajouter les tomates, la sauce brune, le sucre, le bouquet garni et la purée de tomate. Saler, poivrer et ajouter le poivre de Cayenne. Bien mélanger.

Porter la sauce au point d'ébullition, à feu vif, réduire à feu moyen et laisser mijoter la sauce 45 minutes, sans couvercle, en remuant à l'occasion.

Passer la sauce à la passoire.

Si la sauce est trop épaisse, l'éclaircir avec un peu de fond (bouillon).

Cette sauce se conserve 2 à 3 jours au réfrigérateur. Couvrir d'un papier ciré, en pressant le papier ciré sur la surface de la sauce.

Sauces à base d'oeufs

34

Sauce béarnaise

(¾ t. de sauce)

Cette sauce accompagne les entrecôtes, les brochettes, le saumon, les pétoncles, la fondue bourguignonne, les œufs, les côtelettes, etc.

2 ÉCHALOTES SÈCHES HACHÉES FIN
10 GRAINS DE POIVRE ÉCRASÉS
3 C. À SOUPE DE VIN BLANC SEC
1 C. À THÉ D'ESTRAGON
2 C. À SOUPE DE VINAIGRE DE VIN
2 JAUNES D'OEUFS
1 C. À SOUPE D'EAU FROIDE
6 ONCES DE BEURRE CLARIFIÉ FONDU
SEL
POIVRE DU MOULIN
1 PINCÉE DE POIVRE DE CAYENNE
1 C. À SOUPE DE PERSIL FRAIS HACHÉ FIN
JUS DE CITRON AU GOÛT

Dans un bol en acier inoxydable ou dans la casserole supérieure d'un bain-marie, combiner les échalotes, les grains de poivre, le vin blanc, l'estragon et le vinaigre de vin. Placer le récipient sur l'élément et faire évaporer le liquide. Retirer le récipient du feu et laisser reposer quelques minutes.

Incorporer les jaunes d'œufs et l'eau froide au contenu du récipient avec un fouet.

Placer le récipient sur une casserole à demi remplie d'eau presque bouillante et fouetter sans arrêt jusqu'à ce que les jaunes d'œufs épaississent.

Lorsque la sauce est très épaisse, ajouter le beurre clarifié en filets, en fouettant constamment.

Saler, poivrer et ajouter le poivre de Cayenne.

Passer la sauce à la passoire et ajouter le persil haché et le jus de citron.

Couvrir la sauce d'un papier ciré, beurré.

Cette sauce se conserve, au-dessus du bain-marie, à feu très doux, pour 2 heures.

Sauce hollandaise

(¾ t.)

Cette sauce accompagne le poisson, les légumes et on l'utilise pour gratiner le poisson et les œufs.

---

2 JAUNES D'OEUFS
2 C. À SOUPE D'EAU FROIDE
6 ONCES DE BEURRE CLARIFIÉ FONDU
SEL
POIVRE BLANC DU MOULIN
JUS DE ¼ DE CITRON

Placer les jaunes d'œufs dans un bol en acier inoxydable ou dans la casserole supérieure d'un bain-marie. Incorporer l'eau aux œufs avec un fouet. Placer le récipient sur une casserole à demi remplie d'eau presque bouillante et fouetter sans arrêt jusqu'à ce que les jaunes d'œufs épaississent considérablement.

Ajouter le beurre clarifié en filets en fouettant constamment.

Saler, poivrer et incorporer le jus de citron aux jaunes d'œufs.

Couvrir la sauce d'un papier ciré, beurré.

Cette sauce se conserve au-dessus du bain-marie, à feu très doux, pour 2 heures.

36

Sauce mousseline

Cette sauce accompagne les asperges, le brocoli et s'emploie pour glacer le poisson.

¾ T. DE SAUCE HOLLANDAISE (RECETTE 35)
4 C. À SOUPE DE CRÈME FOUETTÉE

Incorporer doucement la crème fouettée à la sauce hollandaise.

Sauces froides

37

Vinaigrette

(pour 4 personnes)

Pour les salades et légumes froids servis en hors-d'œuvre.

¼ C. À THÉ DE SEL
POIVRE DU MOULIN, AU GOÛT
1 C. À THÉ DE MOUTARDE FRANÇAISE À L'ÉTAT
   DE PÂTE (MOUTARDE DE DIJON)
1 C. À SOUPE D'ÉCHALOTES SÈCHES HACHÉES FIN
1 C. À THÉ DE PERSIL FRAIS HACHÉ FIN
3 C. À SOUPE DE VINAIGRE DE VIN
7 À 9 C. À SOUPE D'HUILE D'OLIVE
   JUS DE ¼ DE CITRON

Dans un bol, combiner tous les ingrédients, sauf les deux derniers, avec un fouet.

Ajouter l'huile d'olive en filets en fouettant constamment.

Ajouter le jus de citron; bien incorporer; corriger l'assaisonnement.

Bien mélanger avant d'utiliser.

Cette sauce vinaigrette se conserve 2 à 3 semaines au réfrigérateur; couvrir.

38

Vinaigrette à l'ail

(pour 4 personnes)

Pour les salades et légumes froids servis en hors-d'œuvre.

> 1 C. À THÉ DE SEL
> POIVRE DU MOULIN, AU GOÛT
> 1 C. À THÉ DE MOUTARDE FRANÇAISE À L'ÉTAT
> DE PÂTE (MOUTARDE DE DIJON)
> 1 C. À SOUPE D'ÉCHALOTES SÈCHES HACHÉES FIN
> 1 C. À THÉ DE PERSIL FRAIS HACHÉ FIN
> 3 C. À SOUPE DE VINAIGRE DE VIN
> 2 GOUSSES D'AIL ÉCRASÉES ET HACHÉES FIN
> 7 À 9 C. À SOUPE D'HUILE D'OLIVE
> JUS DE ¼ DE CITRON

Dans un bol, mélanger tous les ingrédients, sauf les deux derniers, avec un fouet.

Ajouter l'huile d'olive en filets, en fouettant constamment.

Ajouter le jus de citron; bien incorporer; corriger l'assaisonnement.

Bien mélanger avant d'utiliser.

Cette sauce vinaigrette se conserve 2 à 3 semaines au réfrigérateur; couvrir.

39

Vinaigrette à l'ailloli

(4 personnes)

Pour les salades, les légumes froids servis en hors-d'œuvre et le poisson poché servi froid.

¾ T. DE VINAIGRETTE (RECETTE 37)
2 C. À SOUPE D'AILLOLI (RECETTE 49)

Incorporer l'ailloli à la vinaigrette avec un fouet.

40

Vinaigrette au roquefort

(1¼ t.)

Pour les salades et légumes froids servis en hors-d'œuvre.

3 À 4 ONCES DE ROQUEFORT À LA TEMPÉRATURE
DE LA PIÈCE, PILÉ
¼ C. À THÉ DE SEL
POIVRE DU MOULIN, AU GOÛT
1 C.À THÉ DE MOUTARDE FRANÇAISE À L'ÉTAT
DE PÂTE (MOUTARDE DE DIJON)
1 C.À SOUPE D'ÉCHALOTES SÈCHES HACHÉES FIN
1 C. À THÉ DE PERSIL FRAIS HACHÉ FIN
3 C. À SOUPE DE VINAIGRE DE VIN
7 C. À SOUPE D'HUILE D'OLIVE
JUS DE ¼ DE CITRON
2 C. À SOUPE DE CRÈME ÉPAISSE (35%)
2 GOUTTES DE SAUCE TABASCO

Dans un bol, bien mélanger le sel, le poivre, la moutarde, les échalotes sèches, le persil et le vinaigre de vin, avec un fouet.

Ajouter l'huile d'olive en filets, en fouettant constamment.

Incorporer le jus de citron, le roquefort et la crème au mélange en fouettant.

Corriger l'assaisonnement.

41

Mayonnaise

(1 t.)

---

2 JAUNES D'OEUFS
1 C. À THÉ DE MOUTARDE FRANÇAISE À L'ÉTAT
    DE PÂTE, OU
  ½ C. À THÉ DE MOUTARDE SÈCHE
¾ T. D'HUILE D'OLIVE OU D'HUILE VÉGÉTALE
1 C. À THÉ DE VINAIGRE DE VIN
    SEL
    POIVRE BLANC DU MOULIN
    JUS DE CITRON AU GOÛT

Dans un petit bol à mélanger, fouetter les jaunes d'œufs et la moutarde jusqu'à ce que les œufs deviennent très épais.

Ajouter l'huile, goutte par goutte, en fouettant constamment.

L'huile peut s'ajouter en filets dès que le mélange épaissit.

Incorporer le vinaigre de vin, le sel, le poivre et le jus de citron à la mayonnaise.

Pour conserver cette sauce 5 à 6 jours, incorporer 1 c. à thé d'eau chaude, couvrir d'un papier ciré beurré et placer au réfrigérateur. L'addition d'eau chaude empêche les jaunes d'oeufs de se séparer de l'huile.

42

Mayonnaise verte

Ajouter 1 c. à soupe de persil frais haché fin à 1 t. de mayonnaise (recette 41) avant d'utiliser.

43

Sauce chinoise aux prunes

(2 t.)

---

1 T. DE SAUCE AUX PRUNES*
1 T. DE VINAIGRE BLANC
    QUELQUES GOUTTES DE JUS DE CITRON
    SUCRE (FACULTATIF)

Dans un bol, mélanger tous les ingrédients.

Cette sauce accompagne les crevettes frites, les « egg rolls », etc.

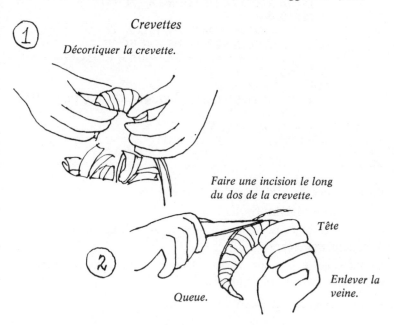

Crevettes

Décortiquer la crevette.

*Faire une incision le long
du dos de la crevette.*

Tête

Queue.

*Enlever la
veine.*

Rincer à l'eau froide.

* S'obtient chez les marchands qui font la vente des condiments chinois séchés et en conserve. Cette sauce se vend en boîte de 1 lb.

Hors-d'oeuvre froids

44

Canapés aux crevettes

(pour 6 à 8 personnes)

½ LB DE CREVETTES CUITES, DÉCORTIQUÉES,
    NETTOYÉES ET HACHÉES FIN
    (GROSSEUR: 15 À 20 CREVETTES PAR LIVRE, OU
             21 À 25 CREVETTES PAR LIVRE)
    (VOIR RECETTE 111 POUR LA TECHNIQUE DE
    CUISSON)
3 C. À SOUPE DE MAYONNAISE (RECETTE 41)
1 C. À SOUPE DE PERSIL FRAIS HACHÉ FIN
1 C. À THÉ DE CIBOULETTE FRAÎCHE HACHÉE FIN
    SEL
    POIVRE DU MOULIN
1 C. À THÉ DE POUDRE DE CARI, OU POUDRE DE CARI
    AU GOÛT
    JUS DE ¼ DE CITRON
2 GOUTTES DE SAUCE TABASCO

Bien mélanger tous les ingrédients dans un bol.

Corriger l'assaisonnement.

Ce mélange se conserve 6 à 7 heures au réfrigérateur. Couvrir d'un papier ciré beurré.

Ce mélange se sert sur du pain français rôti, sur des « melba » et biscuits assortis pour canapés.

Les canapés préparés se conservent une heure.

45

Champignons marinés à la grecque

(pour 6 à 10 personnes)

---

4 T. DE TÊTES DE CHAMPIGNONS DE GROSSEUR
    MOYENNE
½ T. D'EAU
½ T. DE VIN BLANC SEC
¼ T. D'HUILE D'OLIVE
2 C. À SOUPE DE VINAIGRE DE VIN

BOUQUET GARNI COMPOSÉ DE:
¼ C. À THÉ DE THYM
2 FEUILLES DE LAURIER
¼ C. À THÉ DE FENOUIL
1 C. À THÉ DE CERFEUIL
   PERSIL FRAIS
   CÉLERI (VOIR ÉPICES)

   SEL
   POIVRE DU MOULIN

Placer tous les ingrédients dans une casserole de grosseur moyenne.

Porter le liquide au point d'ébullition, couvrir et laisser mijoter les champignons 8 minutes, à feu moyen.

Laisser tiédir les champignons dans le liquide de cuisson et réfrigérer le tout au moins 12 heures.

Egoutter et jeter le bouquet garni.

Servir avec cure-dents.

Les champignons se conservent, dans la marinade, 48 heures au réfrigérateur.

Légumes marinés à la grecque

(pour 6 à 10 personnes)

---

2 T. DE LÉGUMES CRUS*
½ T. D'EAU
½ T. DE VIN BLANC SEC
¼ T. D'HUILE D'OLIVE
2 C. À SOUPE DE VINAIGRE DE VIN

BOUQUET GARNI COMPOSÉ DE:
¼ C. À THÉ DE THYM
2 FEUILLES DE LAURIER
1 C. À THÉ DE FENOUIL
1 C. À THÉ DE CERFEUIL
PERSIL FRAIS
CÉLERI (VOIR ÉPICES)

SEL
POIVRE DU MOULIN

Plonger les légumes dans une grande casserole remplie d'eau bouillante salée.

Couvrir la casserole et faire blanchir les légumes 5 à 6 minutes.

Retirer la casserole du feu et rafraîchir les légumes 4 minutes sous l'eau froide.

Laisser égoutter les légumes.

Mélanger les légumes et le reste des ingrédients dans une casserole de grosseur moyenne.

Porter le liquide au point d'ébullition, couvrir et laisser mijoter les légumes 8 minutes, à feu moyen.

* Chou-fleur en petits bouquets,
   haricots verts en morceaux de 1",
   brocoli en petits bouquets et morceaux de 1",
   carottes en morceaux de 1",
   courgettes en morceaux de 1".

Laisser tiédir les légumes dans le liquide de cuisson et réfrigérer le tout au moins 12 heures.

Egoutter et jeter le bouquet garni.

Servir avec cure-dents.

Les légumes se conservent, dans la marinade, 48 heures au réfrigérateur.

47

Canapés au roquefort

(pour 6 à 8 personnes)

½ LB DE FROMAGE ROQUEFORT OU BLEU, PILÉ, À LA TEMPÉRATURE DE LA PIÈCE

2½ ONCES DE BEURRE DOUX, À LA TEMPÉRATURE DE LA PIÈCE

GOUTTE DE SAUCE TABASCO

1 PETITE PINCÉE DE PAPRIKA

GOUTTE DE SAUCE WORCHESTERSHIRE

COGNAC AU GOÛT

Dans un bol, bien mélanger tous les ingrédients.

Servir sur des toasts « melba ».

Ces canapés se conservent une heure.

48

Canapés au saumon fumé

(pour 6 à 8 personnes)

Pour conserver le saumon fumé, le frotter d'un peu d'huile et le placer au réfrigérateur.

---

15 *TRANCHES MINCES DE SAUMON FUME*
15 *TOASTS "MELBA" OU MORCEAUX DE PAIN*
  FRANÇAIS RÔTIS
½ *LB DE FROMAGE À LA CRÈME À LA TEMPÉRATURE*
  DE LA PIÈCE
15 *TRANCHES MINCES D'ÉCHALOTES SÈCHES*
 1 *C. À SOUPE DE CÂPRES*
  QUELQUES QUARTIERS DE CITRON
  POIVRE DU MOULIN

Etendre le fromage sur les toasts « melba » ou sur le pain français.

Couvrir d'une tranche de saumon fumé.

Garnir d'une tranche d'échalote sèche et de câpres.

Disposer les canapés sur un plateau et garnir de quartiers de citron.

Poivrer.

Ailloli

(pour 6 à 8 personnes)

Sauce très appréciée dans le Midi de la France.

Cette sauce froide accompagne aussi le poisson poché, tel que le flétan.

---

4 GOUSSES D'AIL ÉCRASÉES ET HACHÉES FIN
2 JAUNES D'OEUFS
¾ T. D'HUILE D'OLIVE
   SEL
   POIVRE DU MOULIN
   JUS DE CITRON AU GOÛT
1 PETITE PINCÉE DE POIVRE DE CAYENNE, OU
   1 GOUTTE DE SAUCE TABASCO
   TOAST "MELBA" OU PAIN FRANÇAIS RÔTI

Dans un mortier, ou dans un petit bol à mélanger, fouetter l'ail et les jaunes d'œufs jusqu'à ce que les œufs épaississent et deviennent crémeux.

Ajouter l'huile d'olive, goutte par goutte, en fouettant constamment.

Ajouter le sel, le poivre, le jus de citron et le poivre de Cayenne (ou la sauce Tabasco); corriger l'assaisonnement.

Vos invités étendent l'ailloli sur les toasts « melba » ou sur le pain français rôti.

L'ailloli peut se préparer d'avance. Couvrir d'un papier ciré beurré et placer au réfrigérateur.

Hors-d'oeuvre chauds

50

Croque-monsieur
(pour 6 à 8 personnes)

16 TRANCHES MINCES DE PAIN FRANÇAIS
8 TRANCHES DE GRUYÈRE OU DE MOZZARELLA
8 TRANCHES MINCES DE JAMBON MAIGRE
   POIVRE DE CAYENNE
1½ C. À SOUPE DE BEURRE CLARIFIÉ

Enlever la croûte du pain.

Sur 8 tranches de pain, disposer une tranche de fromage et une tranche de jambon. Assaisonner de poivre de Cayenne. Couvrir du reste des tranches de pain.

Beurrer l'extérieur des croque-monsieur.

Dans une sauteuse, faire fondre le beurre clarifié.

Faire griller les croque-monsieur dans le beurre fondu.

Couper en triangles et servir immédiatement.

51

Marrons à la diable

(pour 6 à 8 personnes)

---

*1 BOÎTE DE 4 ONCES DE MARRONS, ÉGOUTTÉS
ET COUPÉS EN 2
8 À 10 TRANCHES DE LARD MAIGRE FUMÉ (BACON)
POIVRE DE CAYENNE*

Faire chauffer le four à « broil ».

Envelopper les marrons de bacon.

Retenir le bacon en place à l'aide d'un cure-dent, et disposer les marrons sur un gril.

Faire griller 3 à 4 minutes de chaque côté, à 4 pouces de l'élément supérieur du four.

Egoutter les marrons sur des serviettes de papier.

Saupoudrer légèrement de poivre de Cayenne et servir immédiatement.

Crevettes frites

(pour 6 à 8 personnes)

---

*1 LB DE CREVETTES CRUES
(GROSSEUR: 15 À 20 CREVETTES PAR LIVRE)*
2 GOUSSES D'AIL ÉCRASÉES ET HACHÉES FIN
JUS D'UN CITRON
SEL
POIVRE DU MOULIN
HUILE D'ARACHIDE

PÂTE À FRIRE: RECETTE 4

Décortiquer chaque crevette jusqu'à la dernière section, en ayant soin de laisser cette section et la queue fixées à la crevette. Retirer la veine et nettoyer les crevettes à l'eau froide. Faire une incision sur les trois quarts de la courbe intérieure de chaque crevette. Aplatir la crevette avec la paume de la main.

Dans un bol, mélanger tous les ingrédients, sauf l'huile d'arachide. Couvrir les crevettes d'un papier ciré et laisser mariner.

Durant ce temps, préparer la pâte à frire, tel qu'indiqué à la recette 4.

Faire chauffer une friteuse à demi remplie d'huile d'arachide jusqu'à ce que l'huile atteigne une température de 350 °F.

Tremper les crevettes, une à la fois, dans la pâte et les plonger soigneusement dans l'huile.

Faire frire les crevettes 3 à 4 minutes, jusqu'à ce qu'elles deviennent dorées.

Egoutter les crevettes sur des serviettes de papier. Accompagner de sauce chinoise aux prunes (recette 43).

53

Champignons farcis au crabe

(pour 6 à 8 personnes)

---

24 TÊTES DE CHAMPIGNONS (1½ POUCE DE DIAMÈTRE)
2 C. À SOUPE DE BEURRE
2 ÉCHALOTES SÈCHES HACHÉES FIN
8 ONCES DE CRABE HACHÉ (FRAIS OU EN CONSERVE)
SEL
POIVRE DU MOULIN
QUELQUES GOUTTES DE SAUCE TABASCO
½ T. DE BÉCHAMEL ÉPAISSE CHAUDE (RECETTE 25)
½ T. DE GRUYÈRE OU DE MOZZARELLA RÂPÉ

Faire chauffer le four à 350 °F.

Dans une casserole moyenne, épaisse, faire fondre le beurre à feu vif, jusqu'à l'apparition d'écume.

Réduire à feu moyen, ajouter les échalotes sèches et laisser cuire 3 minutes, sans couvercle.

Ajouter le crabe et la sauce Tabasco. Saler et poivrer.

Faire cuire à feu très doux 4 minutes, sans couvercle, en remuant à l'occasion.

Incorporer la béchamel au mélange. Vérifier l'assaisonnement.

Disposer les têtes de champignons dans une plaque à rôtir huilée. Saler et poivrer. Garnir les têtes de champignons avec le mélange.

Saupoudrer de fromage râpé.

Faire cuire 15 minutes au four.

Servir immédiatement.

54

Champignons farcis
aux épinards et au jambon

(pour 6 à 8 personnes)

---

24 *TÊTES DE CHAMPIGNONS (1½ POUCE DE DIAMÈTRE)*
1 *T. D'ÉPINARDS CUITS* HACHÉS FIN*
2 *C. À SOUPE DE BEURRE*
3 *ÉCHALOTES SÈCHES HACHÉES FIN*
¼ *T. DE JAMBON HACHÉ FIN*
½ *T. DE BÉCHAMEL ÉPAISSE CHAUDE (RECETTE 25)*
SEL
POIVRE DU MOULIN
1 *GOUTTE DE SAUCE TABASCO*
1 *GOUTTE DE SAUCE WORCESTERSHIRE*
CHAPELURE

Faire chauffer le four à 350 °F.

Dans une casserole moyenne, épaisse, faire fondre le beurre à feu vif, jusqu'à l'apparition d'écume.

Réduire à feu moyen, ajouter les échalotes sèches et laisser cuire 3 minutes, sans couvercle, en remuant à l'occasion.

Ajouter les épinards et le jambon et laisser cuire 3 à 4 minutes, sans couvercle, en remuant fréquemment.

Incorporer la béchamel au mélange. Vérifier l'assaisonnement et ajouter la sauce Tabasco et la sauce Worcestershire.

Disposer les têtes de champignons dans une plaque à rôtir huilée. Saler et poivrer. Garnir les têtes de champignons avec le mélange.

Saupoudrer de chapelure.

Faire cuire 15 minutes au four.

Servir immédiatement.

* Faire blanchir les épinards 6 minutes dans l'eau bouillante salée. Rafraîchir les épinards 4 minutes à l'eau froide. Former une boule avec les épinards et presser entre les mains pour enlever l'excès d'eau.

Entrées froides

55

Flétan servi sur coeurs de laitue

(pour 4 personnes)

1 LB DE FLÉTAN
SEL
POIVRE DU MOULIN
1 PINCÉE DE THYM
1 FEUILLE DE LAURIER
1 C. À THÉ DE CERFEUIL
5 CHAMPIGNONS ÉMINCÉS
4 ONCES DE VIN BLANC SEC, OU
    2 C. À SOUPE DE VINAIGRE DE VIN
JUS DE ¼ DE CITRON
12 OLIVES VERTES DÉNOYAUTÉES ET ÉMINCÉES
5 MARRONS ÉMINCÉS
½ T. DE VINAIGRETTE (RECETTE 37)
4 COEURS DE LAITUE
1 OEUF DUR, EN QUARTIERS
4 QUARTIERS DE CITRON
PERSIL FRAIS

Nettoyer le flétan à l'eau froide.

Disposer le flétan dans une poêle beurrée, saler, poivrer et ajouter le thym, la feuille de laurier, le cerfeuil, les champignons, le vin (ou vinaigre de vin), le citron et une quantité suffisante d'eau froide pour couvrir.

Couvrir le flétan d'un papier ciré beurré. Presser le papier ciré sur la surface des ingrédients.

Porter le liquide au point d'ébullition, à feu vif. Réduire à feu doux et laisser mijoter 15 minutes.

Retirer la poêle du feu et laisser tiédir le flétan dans le liquide de cuisson.

Retirer le flétan de la poêle et le déchiqueter dans un bol.

Incorporer les olives, les marrons et la vinaigrette au flétan. Corriger l'assaisonnement.

Disposer le flétan sur les cœurs de laitue.

Garnir de quartiers d'œuf dur et de citron et de persil frais.

56

Langoustines servies en coquille

(pour 4 personnes)

---

20 *LANGOUSTINES CRUES*
      (GROSSEUR: 18 À 24 LANGOUSTINES PAR LIVRE)
1½ *T. D'EAU*
      SEL
      POIVRE DU MOULIN
  1 *C. À THÉ DE VINAIGRE BLANC*
½ *T. DE MAYONNAISE (RECETTE 41)*
  1 *C. À THÉ DE POUDRE DE CARI*
      JUS DE ¼ DE CITRON
  1 *C. À THÉ DE PERSIL FRAIS HACHÉ FIN*
  4 *QUARTIERS DE CITRON*

Dans une casserole moyenne, déposer l'eau froide, le sel, le vinaigre et les langoustines. Porter le liquide au point d'ébullition, à feu vif.

Retirer la casserole du feu et rafraîchir les langoustines au moins 4 minutes à l'eau froide.

Couper la courbe intérieure de la coquille à l'aide de ciseaux de cuisine et retirer la chair de la langoustine.

Bien mélanger les langoustines, la mayonnaise, la poudre de cari, le jus de citron et le persil.

Corriger l'assaisonnement.

Placer le mélange dans des coquilles individuelles et garnir d'un quartier de citron.

57

Avocat à la Martin

(pour 2 personnes)

---

1 AVOCAT
5 OU 6 CREVETTES CUITES, DÉCORTIQUÉES ET
    NETTOYÉES (GROSSEUR: 15 À 20 CREVETTES
    PAR LIVRE)
3 OU 4 NOIX HACHÉES
3 C. À SOUPE DE MAYONNAISE (RECETTE 41)
    SEL
    POIVRE DU MOULIN
    QUELQUES GOUTTES DE SAUCE TABASCO
1 C. À THÉ DE PERSIL FRAIS HACHÉ FIN

Couper l'avocat en deux et retirer le noyau.

Avec une cuiller, former des boules de chair d'avocat.

Couper les crevettes en deux, diagonalement.

Dans un bol, mélanger le reste des ingrédients à la chair d'avocat et aux crevettes.

Remettre le mélange dans les moitiés d'avocat évidées.

58

Cantaloup à la Martin

(pour 2 personnes)

---

1 CANTALOUP
4 ONCES DE PORTO OU DE SHERRY
2 T. DE GLACE CONCASSÉE

Couper le cantaloup en deux et retirer les semences du fruit.

Former des boules de chair de cantaloup avec une cuiller parisienne.

Remettre les boules de cantaloup dans les moitiés de cantaloup évidées.

Verser 2 onces de porto ou de sherry dans chaque moitié de cantaloup.

Couvrir d'un papier ciré et placer 3 heures au réfrigérateur.

Servir frais, sur la glace concassée.

Entrées chaudes

59

Escargots provençale
(pour 2 personnes)

¼ *LB DE BEURRE D'AIL À LA TEMPÉRATURE*
DE LA PIÈCE (RECETTE 8)
12 *GROS ESCARGOTS ÉGOUTTÉS*
12 *COQUILLES D'ESCARGOTS*

Faire chauffer le four à « broil ».

Placer ¼ c. à thé de beurre d'ail dans chaque coquille.

Glisser l'escargot dans la coquille.

Remplir les coquilles avec le reste du beurre.

Disposer les coquilles dans des plats à escargots.

Placer au four, à 4 pouces de l'élément supérieur, 8 à 10 minutes. Les escargots sont prêts lorsque le beurre devient brun pâle.

60

Escargots au gratin

(pour 2 personnes)

¼ LB DE BEURRE D'AIL À LA TEMPÉRATURE
    DE LA PIÈCE (RECETTE 8)
12 GROS ESCARGOTS ÉGOUTTÉS
3 C. À SOUPE DE GRUYÈRE RÂPÉ
1 PETITE PINCÉE DE POIVRE DE CAYENNE
2 PLATS À ESCARGOTS EN CÉRAMIQUE

Faire chauffer le four à « broil ».

Placer ¼ c. à thé de beurre d'ail dans chaque cavité.

Glisser un escargot dans chaque cavité.

Remplir les cavités avec le reste du beurre d'ail et saupoudrer de poivre de Cayenne et de gruyère.

Placer au milieu du four et faire cuire 15 minutes.

61

Escargots bourguignonne

(pour 2 personnes)

---

12 GROS ESCARGOTS ÉGOUTTÉS
2 C. À SOUPE DE BEURRE
12 CHAMPIGNONS EN QUARTIERS
2 ÉCHALOTES SÈCHES HACHÉES FIN
20 CROÛTONS
SEL
POIVRE DU MOULIN
½ T. DE SAUCE BOURGUIGNONNE CHAUDE
(RECETTE 30)
1 C. À SOUPE DE PERSIL FRAIS HACHÉ FIN

Dans une petite sauteuse, faire fondre le beurre à feu vif jusqu'à l'apparition d'écume. Ajouter les champignons et faire cuire 5 minutes, en remuant fréquemment.

Réduire à feu moyen, ajouter les échalotes sèches, les croûtons et les escargots et faire cuire 2 minutes, sans couvercle, en remuant à l'occasion.

Ajouter la sauce et laisser mijoter 2 minutes, sans couvercle.

Saler, poivrer et garnir de persil frais.

Présenter les escargots bourguignonne dans une coquille.

62

Crêpes farcies aux crevettes

(pour 4 personnes)

---

4 CRÊPES (RECETTE 5)
1 LB DE CREVETTES CUITES, DÉCORTIQUÉES ET
   NETTOYÉES (VOIR RECETTE 111 POUR LA
   TECHNIQUE DE CUISSON)
2 C. À SOUPE DE BEURRE
2 C. À SOUPE D'ÉCHALOTES SÈCHES HACHÉES FIN
   PAPRIKA AU GOÛT
4 ONCES DE PORTO
1½ T. DE BÉCHAMEL ÉPAISSE CHAUDE (RECETTE 25)
½ T. DE GRUYÈRE OU DE MOZZARELLA RÂPÉ
1 C. À SOUPE DE PERSIL FRAIS HACHÉ FIN
   SEL
   POIVRE DU MOULIN

Faire chauffer le four à 350 °F.

Couper les crevettes en biais.

Dans une sauteuse, faire fondre le beurre à feu vif, jusqu'à l'apparition d'écume. Réduire à feu moyen et ajouter les échalotes sèches et les crevettes. Faire cuire 3 minutes, sans couvercle, en remuant à l'occasion.

Incorporer le paprika au goût et le porto. Faire réduire le liquide 2 à 3 minutes à feu vif, sans couvercle.

Ajouter la béchamel, saler et poivrer et retirer la sauteuse du feu.

Réserver une moitié du mélange.

Farcir les crêpes d'une moitié du mélange. Rouler.

Disposer les crêpes dans un plat à gratin beurré, le côté lisse vers le haut, et verser le reste du mélange de crevettes sur les crêpes.

Saupoudrer de fromage râpé.

Faire chauffer l'élément supérieur (broil) du four et faire cuire les crêpes 15 minutes au milieu du four.

Avant de servir, garnir de persil frais haché.

63

Coquilles Saint-Jacques

(pour 4 personnes)

---

1 LB DE PÉTONCLES CRUS
2 ÉCHALOTES SÈCHES HACHÉES FIN
4 ONCES DE VIN BLANC SEC
4 ONCES D'EAU
  SEL
  POIVRE BLANC DU MOULIN
1 T. DE BÉCHAMEL ÉPAISSE CHAUDE (RECETTE 25)
1 PETITE PINCÉE DE POIVRE DE CAYENNE
2 C. À SOUPE DE CRÈME LÉGÈRE (15%)
¼ T. DE GRUYÈRE RÂPÉ

Faire chauffer le four à « broil ».

Placer les pétoncles, les échalotes sèches, le vin blanc et l'eau dans une sauteuse. Saler, poivrer au goût et couvrir d'un papier ciré beurré (ou d'un papier d'aluminium beurré). Presser le papier sur la surface des ingrédients.

Porter le liquide au point d'ébullition, à feu vif.

Réduire à feu moyen et laisser mijoter 5 minutes.

Retirer les pétoncles du liquide et les mettre de côté dans un plat chaud.

Faire réduire le liquide de cuisson de deux tiers, à feu vif.

Réduire à feu moyen, incorporer la béchamel, saler, poivrer et ajouter le poivre de Cayenne; laisser mijoter 8 à 10 minutes, sans couvercle.

Ajouter les pétoncles et la crème à la sauce; verser le mélange dans quatre coquilles Saint-Jacques.

Saupoudrer chaque coquille de fromage râpé; faire cuire 8 à 10 minutes à 6 ou 8 pouces de l'élément supérieur du four.

Brochettes de langoustines

(pour 4 personnes)

---

24 LANGOUSTINES CRUES
    (GROSSEUR: 18 À 24 LANGOUSTINES PAR LIVRE)
24 TÊTES DE CHAMPIGNONS
 4 OU 5 TRANCHES DE LARD MAIGRE FUMÉ (BACON)
    EN DÉS DE 1 POUCE
 4 C. À SOUPE DE BEURRE D'AIL À LA TEMPÉRATURE
    DE LA PIÈCE (RECETTE 8)
    SEL
    POIVRE DU MOULIN
    JUS DE 1 CITRON

Faire chauffer le four à « broil ».

Décortiquer les langoustines.

Faire alterner les langoustines, les têtes de champignons et les dés de bacon sur les brochettes.

Saler, poivrer et disposer sur une plaque à rôtir. Parsemer de petits morceaux de beurre d'ail.

Faire griller les brochettes 3 minutes de chaque côté, à 6 pouces de l'élément supérieur du four.

Ajouter le jus de citron et servir immédiatement.

65

Huîtres gratinées

(pour 4 personnes)

---

24 HUÎTRES FRAÎCHES, EN COQUILLE
2½ T. DE BÉCHAMEL ÉPAISSE CHAUDE (RECETTE 25)
1 PETITE PINCÉE DE POIVRE DE CAYENNE
1. C À SOUPE DE BEURRE FONDU
½ T. DE PARMESAN RÂPÉ
4 C. À SOUPE DE BEURRE

Faire chauffer le four à « broil ».

Ouvrir les huîtres et les détacher de leur coquille. Recueillir l'eau des huîtres.

Bien nettoyer les coquilles.

Incorporer le poivre de Cayenne, le beurre fondu et l'eau des huîtres à la béchamel.

Disposer les coquilles nettoyées dans un plat à gratin.

Verser 1 c. à soupe de béchamel dans chaque coquille.

Placer une huître dans chaque coquille.

Couvrir les huîtres du reste de béchamel et saupoudrer de fromage râpé.

Parsemer de petits morceaux de beurre.

Faire gratiner les huîtres 3 à 4 minutes, à 4 pouces de l'élément supérieur du four.

66

Moules à la crème

(pour 4 personnes)

---

5 LB DE MOULES FRAÎCHES EN COQUILLE,
    BIEN NETTOYÉES
3 C. À SOUPE DE BEURRE
2 C. À SOUPE D'ÉCHALOTES SÈCHES HACHÉES FIN
1 T. DE VIN BLANC SEC
  SEL
  POIVRE DU MOULIN
1 PINCÉE DE THYM
½ C. À THÉ DE CERFEUIL
1 T. DE CRÈME ÉPAISSE (35%)
1 C. À SOUPE DE PERSIL FRAIS HACHÉ FIN
2 C. À SOUPE DE BEURRE MANIÉ (RECETTE 12)

Placer les moules, le beurre, les échalotes, le vin blanc, le sel, le poivre, le thym et le cerfeuil dans une grande casserole.

Couvrir et faire cuire les moules à feu vif jusqu'à ce que les coquilles soient ouvertes.

Retirer les moules de la casserole et verser le liquide de cuisson dans une petite casserole.

Ajouter la crème et le persil au liquide de cuisson et faire réduire le liquide, à feu vif, 6 à 8 minutes, sans couvercle.

Corriger l'assaisonnement.

Retirer la coquille supérieure des moules et disposer les moules sur un plateau chaud.

Epaissir la sauce avec le beurre manié et verser sur les moules.

Soupes
Crèmes liées avec de la farine

67
Crème d'asperges
(pour 4 personnes)

1 BOTTE D'ASPERGES FRAÎCHES, CUITES*, OU
    1 BOÎTE DE 14 ONCES D'ASPERGES, ÉGOUTTÉES, OU
    10 ONCES D'ASPERGES CONGELÉES, CUITES*,
    HACHÉES
3 C. À SOUPE DE POINTES D'ASPERGES RÉSERVÉES
    COMME GARNITURE
6 C. À SOUPE DE BEURRE
1 PETIT OIGNON PELÉ ET ÉMINCÉ
5 C. À SOUPE DE FARINE
6 T. DE FOND (BOUILLON) DE POULET CHAUD
    (RECETTES 17 ET 18), OU
    6 T. DE FOND (BOUILLON) D'ASPERGES CHAUD
SEL
POIVRE DU MOULIN

BOUQUET GARNI COMPOSÉ DE:
¼ C. À THÉ DE THYM
1 FEUILLE DE LAURIER
½ C. À THÉ DE CERFEUIL
¼ C. À THÉ DE BASILIC
1 CLOU DE GIROFLE
PERSIL FRAIS
CÉLERI (VOIR ÉPICES)

2 C. À SOUPE DE CRÈME ÉPAISSE (35%) (FACULTATIF)
1 C. À SOUPE DE PERSIL FRAIS HACHÉ FIN, OU
    1 C. À SOUPE DE CIBOULETTE FRAÎCHE HACHÉE FIN

---

* Plonger les asperges dans une grande casserole remplie d'eau bouillante salée.

Dans une casserole moyenne, épaisse, faire fondre 5 c. à soupe de beurre à feu vif jusqu'à l'apparition d'écume. Réduire à feu doux et ajouter l'oignon émincé. Couvrir et faire mijoter l'oignon quelques minutes.

Ajouter les asperges hachées aux oignons, couvrir et laisser mijoter 15 minutes, en remuant à l'occasion.

Ajouter la farine aux légumes et faire cuire 3 minutes, sans couvercle, en remuant constamment.

Retirer la casserole du feu, ajouter 1 t. de fond (bouillon) et bien mélanger avec une cuiller de bois. Remettre la casserole sur le feu et ajouter le reste du fond (bouillon), 1 t. à la fois, en remuant constamment.

Saler, poivrer et ajouter le bouquet garni.

Porter le liquide au point d'ébullition, à feu vif, réduire à feu doux et laisser mijoter 40 minutes, sans couvercle, en remuant à l'occasion.

Corriger l'assaisonnement et passer la soupe à la passoire ou au tamis fin.

Si la soupe est trop épaisse, ajouter un peu de fond (bouillon) en remuant avec une cuiller de bois.

Dans une petite casserole, faire mijoter les 3 c. à soupe de pointes d'asperges dans 1 c. à soupe de beurre.

Avant de servir, incorporer la crème à la soupe et garnir des pointes d'asperges et du persil haché (ou de ciboulette hachée).

Cette soupe, sans l'addition de la crème, se conserve 2 à 3 jours au réfrigérateur. Couvrir d'un papier ciré beurré.

Si vous désirez servir cette soupe froide, ajouter ¼ t. de crème épaisse au lieu de 2 c. à soupe de crème épaisse.

Couvrir et blanchir les asperges 8 à 10 minutes.

Retirer la casserole du feu, rafraîchir les asperges à l'eau froide au moins 4 minutes et égoutter.

68

Crème de champignons

(pour 4 personnes)

¾ LB DE CHAMPIGNONS FRAIS ÉMINCÉS, OU
    1 BOÎTE DE 14 ONCES DE CHAMPIGNONS,
    ÉGOUTTÉS ET HACHÉS
4 C. À SOUPE DE CHAMPIGNONS HACHÉS FIN,
    POUR GARNIR
5 C. À SOUPE DE BEURRE
1 PETIT OIGNON PELÉ ET ÉMINCÉ
5 C. À SOUPE DE FARINE
6 T. DE FOND (BOUILLON) DE POULET CHAUD
    (RECETTES 17 ET 18)
    SEL
    POIVRE DU MOULIN

    BOUQUET GARNI COMPOSÉ DE:
¼ C. À THÉ DE THYM
1 FEUILLE DE LAURIER
½ C. À THÉ DE CERFEUIL
¼ C. À THÉ DE BASILIC
1 CLOU DE GIROFLE
    PERSIL FRAIS
    CÉLERI (VOIR ÉPICES)

2 C. À SOUPE DE CRÈME ÉPAISSE (35%) (FACULTATIF)
1 C. À SOUPE DE PERSIL FRAIS HACHÉ FIN, OU
    1 C. À SOUPE DE CIBOULETTE FRAÎCHE
    HACHÉE FIN

Dans une casserole moyenne, épaisse, faire fondre le beurre à feu vif jusqu'à l'apparition d'écume. Réduire à feu doux et ajouter l'oignon émincé. Couvrir et laisser mijoter l'oignon quelques minutes.

Ajouter les champignons aux oignons, couvrir et laisser mijoter 15 minutes en remuant à l'occasion.

Ajouter la farine aux légumes et faire cuire, sans couvercle, 3 minutes en remuant constamment.

Retirer la casserole du feu, ajouter 1 t. de fond (bouillon) et bien mélanger avec une cuiller de bois. Remettre la casserole sur le feu; ajouter le reste du fond (bouillon), 1 t. à la fois, en remuant constamment.

Saler, poivrer et ajouter le bouquet garni.

Porter le liquide au point d'ébullition, à feu vif, réduire à feu doux et laisser mijoter, sans couvercle, 40 minutes en remuant à l'occasion.

Corriger l'assaisonnement et passer à la passoire.

Si la crème est trop épaisse, incorporer un peu de fond (bouillon) en remuant avec une cuiller de bois.

Dans une petite casserole, laisser mijoter les champignons hachés quelques minutes dans ½ t. de fond (bouillon).

Avant de servir la soupe, incorporer la crème à la soupe et garnir des champignons hachés et du persil haché (ou ciboulette hachée).

Cette soupe, sans l'addition de la crème, se conserve 2 à 3 jours au réfrigérateur. Couvrir d'un papier ciré beurré.

Crème de concombre

(pour 4 personnes)*

---

3 CONCOMBRES PELÉS ET ÉMINCÉS
    (EN RETIRER LES GRAINES)
½ CONCOMBRE HACHÉ FIN, RÉSERVÉ POUR GARNIR
6 C. À SOUPE DE BEURRE
1 PETIT OIGNON PELÉ ET ÉMINCÉ
5 C. À SOUPE DE FARINE
6 T. DE FOND (BOUILLON) DE POULET LÉGER CHAUD
    (RECETTES 17 ET 18)
  SEL
  POIVRE DU MOULIN

  BOUQUET GARNI COMPOSÉ DE:
¼ C. À THÉ DE THYM
1 FEUILLE DE LAURIER
½ C. À THÉ DE CERFEUIL
¼ C. À THÉ DE BASILIC
1 CLOU DE GIROFLE
  PERSIL FRAIS
  CÉLERI (VOIR ÉPICES)

2 C. À SOUPE DE CRÈME ÉPAISSE (35%) (FACULTATIF)
1 C. À SOUPE DE PERSIL FRAIS HACHÉ FIN, OU
    1 C. À SOUPE DE CIBOULETTE FRAÎCHE HACHÉE FIN

Dans une casserole moyenne, épaisse, faire fondre 5 c. à soupe de beurre à feu vif jusqu'à l'apparition d'écume. Réduire à feu doux et ajouter l'oignon émincé. Couvrir et faire mijoter l'oignon quelques minutes.

Ajouter les concombres émincés aux oignons, couvrir et laisser mijoter 15 minutes, en remuant à l'occasion.

Ajouter la farine aux légumes et faire cuire 3 minutes, sans couvercle, en remuant constamment.

* Je recommande de servir cette crème froide

Retirer la casserole du feu, ajouter 1 t. de fond (bouillon) et bien mélanger avec une cuiller de bois. Remettre la casserole sur le feu et ajouter le reste du fond (bouillon), 1 t. à la fois, en remuant constamment.

Saler, poivrer et ajouter le bouquet garni.

Porter le liquide au point d'ébullition, à feu vif, réduire à feu doux et laisser mijoter 40 minutes, sans couvercle, en remuant à l'occasion.

Corriger l'assaisonnement et passer la soupe à la passoire.

Si la soupe est trop épaisse, ajouter un peu de fond (bouillon) en remuant avec une cuiller de bois.

Dans une petite casserole, faire fondre 1 c. à soupe de beurre à feu vif, jusqu'à l'apparition d'écume. Réduire à feu moyen et ajouter le concombre haché. Laisser mijoter le concombre quelques minutes, sans couvercle.

Avant de servir, incorporer la crème à la soupe et garnir du concombre mijoté au beurre et du persil haché (ou ciboulette hachée).

Pour servir froid, ajouter ¼ t. de crème épaisse au lieu de 2 c. à soupe de crème épaisse.

Crème de tomate

(pour 4 personnes)

---

5 TOMATES MOYENNES HACHÉES, OU
    1 BOÎTE DE 28 ONCES DE TOMATES ÉGOUTTÉES
    ET HACHÉES
5 C. À SOUPE DE BEURRE
1 PETIT OIGNON PELÉ ET ÉMINCÉ
5 C. À SOUPE DE FARINE
6 T. DE FOND (BOUILLON) DE POULET LEGER, CHAUD
    (RECETTES 17 ET 18)
1 C. À THÉ DE PURÉE DE TOMATE (FACULTATIF)
1 C. À SOUPE DE SUCRE
    SEL
    POIVRE DU MOULIN

    BOUQUET GARNI COMPOSÉ DE:
¼ C. À THÉ DE THYM
1 FEUILLE DE LAURIER
½ C. À THÉ DE CERFEUIL
¼ C. À THÉ DE BASILIC
¼ C. À THÉ D'ORIGAN
1 CLOU DE GIROFLE
    PERSIL FRAIS
    CÉLERI (VOIR ÉPICES)

2 C. À SOUPE DE CRÈME ÉPAISSE (35%) (FACULTATIF)
1 C. À SOUPE DE PERSIL FRAIS HACHÉ FIN, OU
    1 C. À SOUPE DE CIBOULETTE FRAÎCHE HACHÉE FIN

Dans une casserole moyenne, épaisse, faire fondre le beurre à feu vif jusqu'à l'apparition d'écume. Réduire à feu doux et ajouter l'oignon émincé. Couvrir et faire mijoter l'oignon quelques minutes.

Ajouter les tomates aux oignons, couvrir et laisser mijoter 15 minutes, en remuant à l'occasion.

Ajouter la farine aux légumes et faire cuire 3 minutes, sans couvercle, en remuant constamment.

Retirer la casserole du feu, ajouter 1 t. de fond (bouillon) et bien mélanger avec une cuiller de bois. Remettre la casserole sur le feu et ajouter le reste du fond (bouillon), 1 t. à la fois, en remuant constamment.

Saler, poivrer et ajouter la purée de tomate, le sucre et le bouquet garni.

Porter le liquide au point d'ébullition, à feu vif, réduire à feu doux et laisser mijoter 40 minutes, sans couvercle, en remuant à l'occasion.

Corriger l'assaisonnement et passer la soupe à la passoire ou au tamis fin.

Si la soupe est trop épaisse, ajouter un peu de fond (bouillon) en remuant avec une cuiller de bois.

Avant de servir, incorporer la crème à la soupe et garnir de persil haché (ou de ciboulette hachée).

Cette soupe, sans l'addition de la crème, se conserve 2 à 3 jours au réfrigérateur. Couvrir d'un papier ciré beurré.

Pour servir cette soupe froide, ajouter ¼ t. de crème épaisse au lieu de 2 c. à soupe de crème épaisse.

Crèmes liées avec des pommes de terre

71

Potage parmentier

(pour 4 personnes)

2 C. À SOUPE DE BEURRE
2 POIREAUX ÉMINCÉS (LE BLANC SEULEMENT)
1 GROS OIGNON PELÉ ET ÉMINCÉ
1½ LB OU 4 GROSSES POMMES DE TERRE CRUES,
     PELÉES ET ÉMINCÉES
6 T. DE FOND (BOUILLON) DE POULET LÉGER, CHAUD
    (RECETTES 17 ET 18)

    BOUQUET GARNI COMPOSÉ DE:
¼ C. À THÉ DE THYM
1 FEUILLE DE LAURIER
¼ C. À THÉ DE BASILIC
½ C. À THÉ DE CERFEUIL
    PERSIL FRAIS
    CÉLERI (VOIR ÉPICES)

    SEL
    POIVRE DU MOULIN
2 C. À SOUPE DE CRÈME ÉPAISSE (35%)

Dans une casserole moyenne, épaisse, faire fondre le beurre à feu vif jusqu'à l'apparition d'écume. Réduire à feu doux et ajouter les poireaux et l'oignon émincés. Couvrir et laisser mijoter 15 minutes, en remuant à l'occasion.

Ajouter les pommes de terre, le fond (bouillon) de poulet et le bouquet garni; saler et poivrer.

Porter le liquide au point d'ébullition, à feu vif, réduire à feu moyen et laisser mijoter 40 minutes, sans couvercle, en remuant à l'occasion.

Corriger l'assaisonnement et passer le potage à la passoire.

Si le potage est trop épais, ajouter un peu de fond (bouillon) de poulet en remuant avec une cuiller de bois.

Avant de servir, incorporer la crème au potage.

Ce potage, sans l'addition de la crème, se conserve 2 à 3 jours au réfrigérateur. Couvrir d'un papier ciré.

72

Crème de poireaux

(pour 4 personnes)

---

3 POIREAUX ÉMINCÉS (LE BLANC SEULEMENT)
2 C. À SOUPE DE POIREAUX HACHÉS FIN,
    RÉSERVÉS POUR GARNIR
2½ C. À SOUPE DE BEURRE

1 GROS OIGNON PELÉ ET ÉMINCÉ
1½ LB OU 4 GROSSES POMMES DE TERRE PELÉES
    ET ÉMINCÉES
6 T. DE FOND (BOUILLON) DE POULET LÉGER, CHAUD
    (RECETTES 17 ET 18)

    BOUQUET GARNI COMPOSÉ DE:
¼ C. À THÉ DE THYM
1 FEUILLE DE LAURIER
¼ C. À THÉ DE BASILIC
½ C. À THÉ DE CERFEUIL
    PERSIL FRAIS
    CÉLERI (VOIR ÉPICES)

    SEL
    POIVRE DU MOULIN
2 C. À SOUPE DE CRÈME ÉPAISSE (35%)

Dans une casserole moyenne, épaisse, faire fondre le beurre à feu vif jusqu'à l'apparition d'écume. Réduire à feu doux et ajouter les poireaux et l'oignon émincés. Couvrir et faire mijoter 15 minutes en remuant à l'occasion.

Ajouter les pommes de terre, le fond (bouillon) de poulet et le bouquet garni. Saler et poivrer.

Porter le liquide au point d'ébullition, à feu vif, réduire à feu moyen et laisser mijoter 40 minutes, sans couvercle, en remuant à l'occasion.

Corriger l'assaisonnement et passer la soupe à la passoire.

Si la soupe est trop épaisse, ajouter un peu de fond (bouillon) de poulet en remuant avec une cuiller de bois.

Avant de servir, incorporer la crème à la soupe.

Cette soupe, sans l'addition de la crème, se conserve 2 à 3 jours au réfrigérateur. Couvrir d'un papier ciré.

Potage crème de carottes

(pour 4 personnes)

---

4 GROSSES CAROTTES PELÉES ET ÉMINCÉES
4 TRANCHES DE LARD MAIGRE FUMÉ (BACON), EN DÉS
1 GROS OIGNON PELÉ ET ÉMINCÉ
4 GROSSES POMMES DE TERRE CRUES,
    PELÉES ET ÉMINCÉES
6 T. DE FOND (BOUILLON) DE POULET LÉGER, CHAUD
    (RECETTES 17 ET 18)

    BOUQUET GARNI COMPOSÉ DE:
¼ C. À THÉ DE THYM
1 FEUILLE DE LAURIER
¼ C. À THÉ DE BASILIC
½ C. À THÉ DE CERFEUIL
    PERSIL FRAIS
    CÉLERI (VOIR ÉPICES)

    SEL
    POIVRE DU MOULIN
2 C. À SOUPE DE CRÈME ÉPAISSE (35%)

Dans une casserole moyenne, épaisse, faire cuire le bacon à feu moyen 5 minutes, sans couvercle.

Ajouter l'oignon, couvrir et laisser mijoter quelques minutes en remuant à l'occasion. Réduire à feu doux et ajouter les carottes émincées; couvrir et laisser mijoter 15 minutes en remuant à l'occasion.

Ajouter les pommes de terre, le fond (bouillon) et le bouquet garni. Saler, poivrer et porter le liquide au point d'ébullition, à feu vif.

Réduire à feu moyen et laisser mijoter le potage 40 minutes, sans couvercle, en remuant à l'occasion.

Corriger l'assaisonnement. Passer le potage à la moulinette ou à la passoire, avec pression.

Si le potage est trop épais, ajouter un peu de fond (bouillon) de poulet.

Avant de servir, incorporer la crème au potage.

Ce potage, sans l'addition de la crème, se conserve 2 à 3 jours au réfrigérateur. Couvrir d'un papier ciré beurré.

Consommés garnis (soupes)

74

Soupe aux légumes

(pour 4 personnes)

1 C. À SOUPE DE BEURRE
½ POIREAU ÉMINCÉ
1 PETIT OIGNON PELÉ ET HACHÉ
1 PINCÉE DE BASILIC
½ C. À THÉ DE CERFEUIL
1 FEUILLE DE LAURIER
1 PINCÉE DE THYM
½ PIMENT VERT EN DÉS (EN ENLEVER LES GRAINES)
½ BRANCHE DE CÉLERI EN DÉS
1 PETITE CAROTTE HACHÉE FIN
1 POMME DE TERRE CRUE, MOYENNE, PELÉE, EN DÉS
    (FACULTATIF)
5 T. DE FOND (BOUILLON) DE BOEUF, POULET
    OU LÉGUMES CHAUD (VOIR FONDS)
    SEL
    POIVRE DU MOULIN
    CROÛTONS
1 C. À SOUPE DE PERSIL FRAIS HACHÉ FIN

Dans une casserole moyenne, épaisse, faire fondre le beurre à feu vif. Réduire à feu moyen et ajouter le poireau et l'oignon; couvrir et laisser mijoter quelques minutes.

Ajouter les épices, le reste des légumes et le fond (bouillon); saler et poivrer.

Porter le liquide au point d'ébullition, à feu vif.

Réduire à feu moyen et laisser mijoter la soupe, sans couvercle, jusqu'à ce que les légumes soient cuits.

Garnir de croûtons et de persil frais.

Soupe à l'oignon gratinée

(pour 4 personnes)

---

3 OIGNONS MOYENS PELÉS ET ÉMINCÉS
2 C. À SOUPE DE BEURRE
4 ONCES DE VIN BLANC SEC, OU
    3 C. À SOUPE DE COGNAC
2 C. À SOUPE DE FARINE
6 T. DE FOND (BOUILLON) DE BOEUF LÉGER CHAUD
    (RECETTES 15 ET 16)
1 FEUILLE DE LAURIER
    SEL
    POIVRE DU MOULIN
1 GOUTTE DE SAUCE TABASCO
1½ T. DE GRUYÈRE RÂPÉ
4 TRANCHES DE PAIN FRANÇAIS GRILLÉ
4 BOLS POUR SOUPE A L'OIGNON EN FAÏENCE

Dans une casserole moyenne, épaisse, faire fondre le beurre à feu vif jusqu'à l'apparition d'écume. Réduire à feu doux et ajouter les oignons; laisser mijoter 20 minutes, sans couvercle, en remuant à l'occasion (ajouter un peu de beurre durant la cuisson, si nécessaire).

Ajouter le vin (ou le cognac) aux oignons et faire réduire le liquide de deux tiers, à feu vif.

Réduire à feu moyen et saupoudrer les oignons de farine.

Incorporer le fond (bouillon) de bœuf graduellement aux oignons, saler, poivrer et ajouter la feuille de laurier.

Porter le liquide au point d'ébullition, à feu vif.

Réduire à feu doux et laisser mijoter la soupe 30 minutes, sans couvercle, en remuant à l'occasion.

Ajouter une goutte de sauce Tabasco et corriger l'assaisonnement. Retirer la feuille de laurier.

Faire chauffer le four à « broil ».

Placer 1 c. à soupe de fromage râpé au fond de chaque bol. Verser la soupe dans les bols.

Couvrir la soupe d'une tranche de pain grillé et saupoudrer le pain de fromage râpé.

Faire griller la soupe, au milieu du four, 15 à 20 minutes.

Cette soupe se conserve 3 jours au réfrigérateur. Couvrir d'un papier ciré beurré.

Cette soupe se conserve 3 mois au congélateur.

76

Soupe de palourdes aux légumes (clam chowder)

(pour 4 personnes)

---

3 DOUZAINES DE PALOURDES FRAÎCHES RETIRÉES DE
   LEURS COQUILLES ET HACHÉES FIN, OU
   2 BOÎTES DE 10 ONCES DE PALOURDES ÉGOUTTÉES
   (GARDER LE LIQUIDE DES PALOURDES)
1 C. À SOUPE DE BEURRE
1 OIGNON MOYEN PELÉ, EN DÉS
1 PIMENT VERT EN DÉS (EN ENLEVER LES GRAINES)
2 PETITES POMMES DE TERRE PELÉES EN DÉS
2½ T. DE COURT-BOUILLON CHAUD (RECETTE 19)
1 PINCÉE DE THYM
1 FEUILLE DE LAURIER
1 C. À THÉ DE PERSIL FRAIS HACHÉ FIN
¼ C. À THÉ DE CERFEUIL
1 PINCÉE D'ESTRAGON
   SEL
   POIVRE DU MOULIN
   PAPRIKA AU GOÛT
2 T. DE CRÈME LÉGÈRE (15%)

Dans une casserole moyenne, épaisse, faire fondre le beurre à feu vif, jusqu'à l'apparition d'écume. Réduire à feu moyen, ajouter les oignons et le piment vert; couvrir et laisser mijoter les légumes 3 minutes, en remuant à l'occasion.

Ajouter les pommes de terre, le court-bouillon, le liquide des palourdes et les épices. Saler et poivrer.

Porter le liquide au point d'ébullition, à feu vif.

Réduire à feu moyen et laisser mijoter la soupe, sans couvercle, jusqu'à ce que les pommes de terre soient cuites.

Ajouter les palourdes et laisser mijoter 3 à 4 minutes.

Corriger l'assaisonnement, ajouter la crème et le paprika et servir.

Soupes servies froides

77

Vichyssoise

(pour 4 personnes)

---

5 T. DE POTAGE PARMENTIER (RECETTE 71)
½ À 1 T. DE CRÈME ÉPAISSE (35%)
1 C. À SOUPE DE CIBOULETTE FRAÎCHE HACHÉE FIN

Incorporer la crème au potage parmentier.

Couvrir d'un papier ciré beurré et placer au réfrigérateur.

Servir froid, et garnir de ciboulette fraîche.

Gazpacho

(pour 4 personnes)

---

1 CONCOMBRE PELÉ ET ÉMINCÉ
  (EN ENLEVER LES GRAINES)
  SEL
5 GOUSSES D'AIL ÉCRASÉES ET HACHÉES FIN
¼ C. À THÉ DE GRAINES DE CUMIN
5 ONCES D'AMANDES EN POUDRE
2 C. À SOUPE DE VINAIGRE DE VIN
¼ T. D'HUILE D'OLIVE
3 TOMATES PELÉES, COUPÉES EN DEUX
  (EN ENLEVER LES GRAINES)
2½ T. DE FOND (BOUILLON) DE BOEUF FROID
  (RECETTES 15 ET 16)
  POIVRE DU MOULIN
½ PIMENT VERT ÉMINCÉ (EN ENLEVER LES GRAINES)
1 C. À SOUPE DE PERSIL FRAIS HACHÉ FIN

Placer les tranches de concombre dans un bol. Saupoudrer de sel et laisser reposer 30 minutes.

Egoutter les tranches de concombre.

Vous pouvez utiliser un « blender » pour préparer le gazpacho.

Bien mélanger l'ail, les graines de cumin et les amandes en poudre; y incorporer le vinaigre et l'huile d'olive.

Ajouter les concombres et les tomates et bien mélanger.

Ajouter le fond (bouillon) de bœuf et bien mélanger.

Saler et poivrer.

Couvrir le gazpacho d'un papier ciré beurré et placer au réfrigérateur au moins 4 à 5 heures.

Verser le gazpacho dans une soupière et garnir de piment vert et de persil.

Oeufs

79

Oeufs à la française

(pour une personne)

2 GROS OEUFS
1 C. À THÉ DE BEURRE
   SEL
   POIVRE BLANC DU MOULIN

Casser les œufs dans un plat.

Faire fondre le beurre dans une poêle à crêpes, à feu très doux.

Lorsque le beurre est fondu et à peine tiède, glisser les œufs doucement dans la poêle.

Faire cuire les œufs à feu très doux, sans couvercle, jusqu'à ce que les blancs d'œufs deviennent fermes et couleur du lait.

Saler et poivrer.

Servir immédiatement sur un plat chaud.

80

Oeufs à la crème

(pour une personne)

2 GROS OEUFS
2 C. À SOUPE DE CRÈME (ÉPAISSE OU LÉGÈRE)
1 C. À THÉ DE BEURRE
   SEL
   POIVRE BLANC DU MOULIN

Faire chauffer le four à 300 °F.

Faire fondre le beurre dans un ramequin, à feu très doux.

Casser les œufs doucement dans le ramequin.

Verser la crème sur les œufs.

Faire cuire les œufs 8 à 10 minutes au four, au bain-marie. Le blanc d'œuf devrait être ferme.

Saler, poivrer et servir immédiatement.

81

Oeufs brouillés

(pour 2 personnes)

---

4 GROS OEUFS
2 C. À SOUPE DE BEURRE
2 C. À SOUPE DE CRÈME LÉGÈRE (15%)
   SEL
   POIVRE BLANC DU MOULIN

Battre légèrement les œufs et la crème dans un bol.

Faire fondre le beurre dans la casserole supérieure du bain-marie.

Ajouter les œufs au beurre fondu et placer la casserole au-dessus du bain-marie à demi rempli d'eau bouillante. Fouetter les œufs constamment jusqu'à ce qu'ils deviennent crémeux.

Saler, poivrer et verser les œufs dans un plat chaud.

Servir immédiatement.

Oeufs chasseur

(un déjeuner intime pour deux)

---

5 TRANCHES DE LARD MAIGRE FUMÉ (BACON) EN DÉS
12 CHAMPIGNONS, EN QUARTIERS
   SEL
   POIVRE DU MOULIN
½ C. À THÉ DE PERSIL FRAIS HACHÉ FIN
4 GROS OEUFS
2 C. À SOUPE DE BEURRE
2 C. À SOUPE DE CRÈME LÉGÈRE (15%)

Dans une sauteuse, faire cuire le bacon à feu vif, 2 à 3 minutes, en remuant fréquemment.

Ajouter les champignons, saler, poivrer et faire cuire 4 minutes, sans couvercle, en remuant fréquemment.

Retirer la sauteuse du feu.

Préparer les œufs brouillés (recette 81)

Disposer les œufs brouillés sur un plat chaud.

Verser les champignons et le bacon sautés sur les œufs brouillés. Garnir de persil frais.

Servir immédiatement.

Oeufs à l'orientale

(pour 4 personnes)

---

4 GROS OEUFS
3 T. D'EAU
1 C. À SOUPE DE VINAIGRE BLANC
1 C. À SOUPE DE BEURRE
4 TRANCHES DE TOMATE, 1½ POUCE D'ÉPAISSEUR
SEL
POIVRE BLANC DU MOULIN
½ T. DE SAUCE HOLLANDAISE (RECETTE 35)

Faire chauffer le four à « broil ».

Dans une casserole, porter l'eau et le vinaigre au point d'ébullition.

Casser les œufs dans un plat. Glisser les œufs doucement dans le liquide bouillant.

Faire pocher les œufs 3½ minutes.

Retirer les œufs du liquide à l'aide d'une cuiller à trous et mettre de côté sur un plat chaud.

Dans une sauteuse, faire fondre le beurre à feu vif, jusqu'à l'apparition d'écume. Réduire à feu moyen et faire sauter les tranches de tomate 2 minutes de chaque côté.

Disposer les tranches de tomate dans un plat à gratin beurré.

Placer un œuf poché sur chaque tranche de tomate, saler et poivrer.

Verser la sauce hollandaise sur les œufs.

Faire cuire les œufs au four 2 à 3 minutes, à 3 ou 4 pouces de l'élément supérieur du four.

Servir immédiatement.

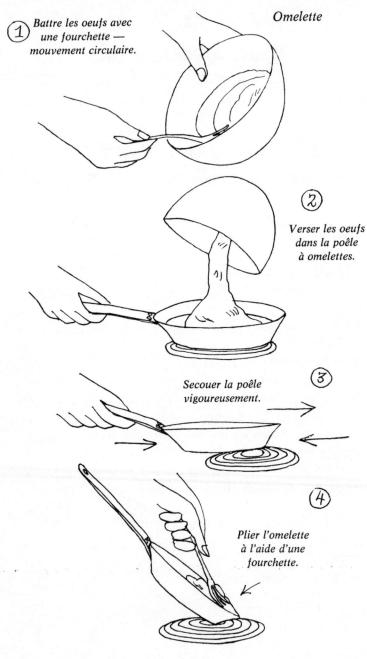

Omelette

1. Battre les oeufs avec une fourchette — mouvement circulaire.

2. Verser les oeufs dans la poêle à omelettes.

3. Secouer la poêle vigoureusement.

4. Plier l'omelette à l'aide d'une fourchette.

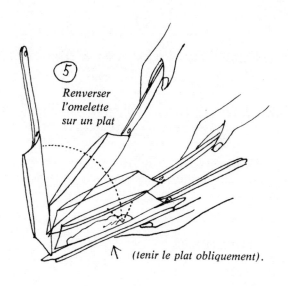

5 Renverser
l'omelette
sur un plat

↖ *(tenir le plat obliquement).*

Avec une farce

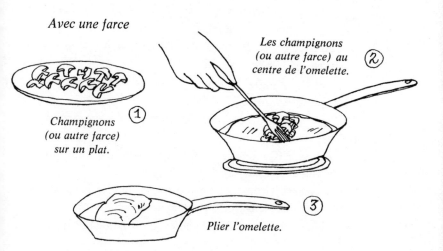

Champignons
(ou autre farce)
sur un plat. ①

Les champignons
(ou autre farce) au
centre de l'omelette. ②

Plier l'omelette. ③

Méthode de cuisson: l'omelette

(pour une personne)

Pour un meilleur résultat, utiliser une poêle à omelettes, c'est-à-dire une poêle à frire de 8 pouces, en acier, aux bords arrondis.

Cette poêle ne devrait être utilisée que pour les omelettes. Elle ne doit jamais être récurée, mais simplement essuyée soigneusement après usage.

---

2 OU 3 GROS OEUFS
1 C. À SOUPE DE CRÈME LÉGÈRE *(15%)* OU D'EAU
1 C. À SOUPE DE BEURRE
    SEL
    POIVRE BLANC DU MOULIN

Battre légèrement les œufs, la crème (ou l'eau), le sel et le poivre dans un bol, à l'aide d'une fourchette.

Faire fondre le beurre dans une poêle à omelettes, à feu très vif. Le beurre doit huiler le fond de la poêle.

Aussitôt que l'écume du beurre disparaît, ajouter les œufs battus.

Faire cuire l'omelette à feu très vif.

Secouer la poêle vigoureusement et souvent jusqu'à ce que les œufs soient presque « pris ».

A l'aide d'une fourchette ou d'une cuiller, plier le bord droit de l'omelette vers le milieu.

La farce chaude, s'il y a lieu, devrait être ajoutée maintenant, et versée au milieu de l'omelette.

Glisser doucement vers la gauche jusqu'à ce que le bord gauche de l'omelette dépasse de la poêle d'un demi-pouce.

Renverser l'omelette sur un plat chaud et servir immédiatement.

85

Omelette au fromage

(pour une personne)

FARCE:

2 C. À SOUPE DE FROMAGE RÂPÉ

86

Omelette aux champignons

(pour une personne)

FARCE:

1 C. À THÉ DE BEURRE
6 CHAMPIGNONS ÉMINCÉS
   SEL
   POIVRE DU MOULIN

Dans une petite sauteuse, faire fondre le beurre à feu vif, jusqu'à l'apparition d'écume.

Réduire à feu moyen et faire sauter les champignons 3 minutes, sans couvercle, en remuant fréquemment.

Saler et poivrer.

Mettre de côté 3 tranches de champignons.

Farcir l'omelette avec les champignons sautés.

Une fois l'omelette renversée sur le plat de service, faire trois incisions à la surface de l'omelette. Garnir en insérant les champignons réservés dans ces incisions.

Mets économiques

87

Boeuf sauté, aux oignons

(pour 2 personnes)

```
  1 LB DE RESTE DE RÔTI DE BOEUF, OU
       1 LB DE RONDE, EN TRANCHES DE 2 POUCES,
       COUPÉES EN DIAGONALE
1½ OIGNON ÉMINCÉ
  2 C. À SOUPE DE BEURRE
     SEL
     POIVRE DU MOULIN
  1 C. À THÉ DE VINAIGRE DE VIN
  1 C. À SOUPE DE PERSIL FRAIS HACHÉ FIN
```

Dans une sauteuse, faire fondre le beurre à feu vif jusqu'à l'apparition d'écume. Ajouter le reste de rôti de bœuf et faire cuire 2 minutes de chaque côté; OU, ajouter les tranches de ronde et faire sauter 3 minutes chaque côté.

Saler et poivrer le bœuf.

Mettre le bœuf de côté dans un plat chaud.

Ajouter les oignons à la sauteuse et faire cuire à feu vif, jusqu'à ce qu'ils deviennent dorés, en remuant fréquemment.

Ajouter le bœuf aux oignons et réchauffer quelques secondes.

Corriger l'assaisonnement et incorporer le vinaigre de vin au bœuf et aux oignons.

Garnir de persil frais.

Champignons à la crème

(pour 2 personnes)

½ LB DE CHAMPIGNONS ÉMINCÉS
2 C. À SOUPE DE BEURRE
SEL
POIVRE DU MOULIN
2 ÉCHALOTES SÈCHES HACHÉES FIN
2 ONCES DE VERMOUTH SEC (FACULTATIF)
1 T. DE BÉCHAMEL ÉPAISSE, CHAUDE (RECETTE 25)
2 TRANCHES DE PAIN FRANÇAIS GRILLÉ
1 C. À SOUPE DE MOZZARELLA RÂPÉ
1 C. À SOUPE DE PERSIL FRAIS HACHÉ FIN

Faire chauffer le four à « broil ».

Dans une sauteuse, faire fondre le beurre à feu vif jusqu'à l'apparition d'écume. Réduire à feu moyen, ajouter les champignons et faire cuire 5 minutes, sans couvercle, en remuant à l'occasion. Saler et poivrer.

Ajouter les échalotes sèches aux champignons et mouiller de vermouth. Faire réduire le liquide 2 minutes, à feu vif, sans couvercle.

Incorporer la béchamel aux champignons et corriger l'assaisonnement.

Disposer le pain français grillé dans un plat à gratin.

Verser les champignons à la crème sur le pain.

Saupoudrer de fromage râpé.

Faire cuire les champignons 3 à 4 minutes au four, à 4 pouces de l'élément supérieur du four.

Garnir de persil frais et servir immédiatement.

Macaroni à la Barbara

(pour 2 personnes)

---

8 ONCES DE MACARONI
2 C. À SOUPE DE BEURRE
1 LB DE CHAMPIGNONS NETTOYÉS ET ÉMINCÉS
SEL
POIVRE DU MOULIN
1½ T. DE SAUCE TOMATE CHAUDE (RECETTE 33)
½ T. DE MOZZARELLA RÂPÉ

Faire chauffer le four à « broil ».

Plonger le macaroni dans une marmite à demi remplie d'eau bouillante salée. Faire cuire le macaroni 10 minutes, sans couvercle. Rafraîchir le macaroni à l'eau froide 6 minutes, égoutter et mettre de côté.

Dans une sauteuse, faire fondre le beurre à feu vif, jusqu'à l'apparition d'écume.

Réduire à feu moyen, ajouter les champignons et faire cuire 5 minutes, sans couvercle, en remuant à l'occasion. Saler et poivrer les champignons.

Placer le macaroni dans une passoire et plonger la passoire dans l'eau chaude 4 minutes, afin de réchauffer le macaroni. Egoutter.

Dans un plat à gratin beurré, faire succéder alternativement des rangées de macaroni, de champignons et de sauce tomate. Finir par une rangée de macaroni, et saupoudrer de fromage râpé.

Faire cuire 15 minutes, sans couvercle, au milieu du four.

Rôti de boeuf froid, à l'italienne

(pour 4 personnes)

½ À 1 LB DE RESTE DE RÔTI DE BOEUF
   EN TRANCHES MINCES
2 LAITUES BOSTON NETTOYÉES ET ÉGOUTTÉES
   (RÉSERVER LES COEURS DE LAITUE)
¾ LB D'HARICOTS VERTS
2 POMMES DE TERRE CUITES, PELÉES ET ÉMINCÉES
12 TOMATES MINIATURES (DITES « CHERRY
   TOMATOES »), EN DEUX
   PERSIL FRAIS OU CRESSON
   SEL
   POIVRE DU MOULIN
½ T. DE VINAIGRETTE (RECETTE 37)

Plonger les haricots verts dans une grosse casserole remplie d'eau bouillante salée. Couvrir et faire blanchir 10 minutes. Retirer la casserole du feu et rafraîchir les haricots à l'eau froide au moins 4 minutes.

Egoutter sur des serviettes de papier.

Egoutter soigneusement les feuilles de laitue sur des serviettes de papier ou avec un appareil pour sécher la laitue.

Disposer les feuilles de laitue au milieu du bol de présentation.

Disposer les haricots verts autour de la laitue.

Disposer les tranches de rôti de bœuf autour des haricots verts.

Disposer les tranches de pommes de terre autour des tranches de rôti de bœuf, en ayant soin d'appuyer les tranches de pommes de terre contre le mur intérieur du bol.

Disposer les tomates miniatures à côté des tranches de pommes de terre.

Garnir de persil frais (ou cresson) et des cœurs de laitue réservés.

Avant de servir, saler, poivrer et incorporer la vinaigrette à la salade; bien mélanger.

Un pour Trois

(pour 2 personnes)

---

3 C. À SOUPE DE BEURRE
1 LB DE FILET DE BOEUF, EN TRANCHES MINCES,
    COUPÉES EN DIAGONALE
1 PETIT OIGNON PELÉ ET ÉMINCÉ
1 PIMENT VERT ÉMINCÉ (EN ENLEVER LES GRAINES)
1 GOUSSE D'AIL ÉCRASÉE ET HACHÉE FIN
1 LB DE CHAMPIGNONS ÉMINCÉS
2 MARRONS ÉGOUTTÉS ET ÉMINCÉS
1 TOMATE COUPÉE EN 8 MORCEAUX
    SEL
    POIVRE DU MOULIN

Dans une sauteuse, faire fondre le beurre à feu vif jusqu'à l'apparition d'écume. Ajouter le bœuf et faire sauter 3 minutes, sans couvercle, en remuant fréquemment.

Mettre le bœuf de côté sur un plat chaud.

Ajouter immédiatement les oignons, le piment vert et la gousse d'ail à la sauteuse; faire sauter 2 minutes, sans couvercle. Ajouter les champignons et faire sauter 2 minutes, en remuant fréquemment.

Ajouter les marrons et la tomate, et faire sauter une minute. Saler et poivrer.

Ajouter le bœuf et le jus de bœuf et faire réchauffer le bœuf quelques secondes.

Corriger l'assaisonnement.

Servir immédiatement sur un nid de riz.

92

Flétan gratiné

(pour 4 personnes)

---

2 LB DE FLÉTAN
 JUS DE 1 CITRON
1 PINCÉE DE THYM
1 FEUILLE DE LAURIER
2 C. À SOUPE DE VINAIGRE BLANC
 SEL
 POIVRE DU MOULIN
2 T. DE BÉCHAMEL ÉPAISSE, CHAUDE *(RECETTE 25)*
½ T. DE CHEDDAR « MÉDIUM », RÂPÉ

Faire chauffer le four à « broil ».

Placer le flétan, le jus de citron, le thym, la feuille de laurier et le vinaigre dans un plat à rôtir beurré.

Couvrir d'eau froide, saler et poivrer.

Couvrir d'un papier ciré beurré. Presser le papier sur la surface des ingrédients.

Porter le liquide au point d'ébullition, à feu vif. Réduire à feu doux et laisser mijoter le flétan:

> 20 minutes, si le flétan est disposé en tranches de 1 pouce, ou
> 15 minutes par livre, s'il s'agit d'une pièce de flétan.

Retirer le flétan du plat et réserver le liquide de cuisson.

Déchiqueter le flétan dans un bol, y incorporer la béchamel et 2 c. à soupe du liquide de cuisson.

Corriger l'assaisonnement.

Verser le mélange dans un plat à gratin beurré. Saupoudrer de fromage râpé.

Faire cuire 15 à 20 minutes, sans couvercle, au milieu du four.

93

Boeuf haché à la Ritz

(pour 4 personnes)

---

1 *LB DE BOEUF HACHÉ MAIGRE, FORMÉ EN 4 GALETTES*
   « HAMBURGER »
2 *C. À SOUPE DE BEURRE*
4 *TRANCHES DE TOMATE, ½ POUCE D'ÉPAISSEUR*
   SEL
   POIVRE DU MOULIN
4 *PAINS À « HAMBURGER » RÔTIS*
½ *T. DE SAUCE BÉARNAISE (RECETTE 34)*

Dans une sauteuse, faire fondre le beurre à feu vif.

Lorsque l'écume a disparu, ajouter les galettes « hamburger » et faire cuire 2 minutes d'un côté.

Retourner les galettes « hamburger » et ajouter les tranches de tomate. Faire sauter les tranches de tomate 1 minute de chaque côté.

Saler et poivrer.

Placer une tranche de tomate et une galette « hamburger » sur chaque pain et couvrir de sauce béarnaise.

Quiche maison

(4 à 6 pointes de quiche)

FOND DE TARTE DE 8 POUCES DE DIAMÈTRE
    (RECETTE 171)
5 TRANCHES DE LARD MAIGRE SALÉ (BACON)
    (FACULTATIF)
½ T. DE GRUYÈRE RÂPÉ
4 GROS OEUFS, OU 5 OEUFS MOYENS
1 C. À SOUPE DE PERSIL FRAIS HACHÉ FIN
1½ T. DE CRÈME ÉPAISSE (35%)
    SEL
    POIVRE DU MOULIN
1 PINCÉE DE MUSCADE

Faire cuire le fond de tarte 10 minutes à 400 °F, au four.

Retirer le fond de tarte du four.

Faire chauffer le four à 375 °F.

Faire blanchir le bacon dans une casserole remplie d'eau bouillante, 3 à 4 minutes.

Egoutter le bacon et le couper en dés.

Placer le bacon dans une sauteuse et faire cuire 3 minutes, à feu très vif.

Egoutter le bacon sur des serviettes de papier.

Placer le bacon dans la croûte à tarte, et saupoudrer du fromage râpé.

Dans un bol, battre les œufs, le persil, la crème, le sel, le poivre et la muscade à l'aide d'un fouet.

Verser le mélange dans la croûte à tarte. Compléter avec de la crème ou du lait, si nécessaire.

Faire cuire la quiche maison 30 à 35 minutes, au four. Insérer la pointe d'un couteau au milieu de la quiche. Si rien n'adhère au couteau, la quiche est cuite.

95

Saucisses à l'italienne

(pour 4 personnes)

```
12 SAUCISSES DE PORC
10 ONCES DE SPAGHETTI
 2 C. À SOUPE DE BEURRE
½ LB DE CHAMPIGNONS ÉMINCÉS
 1 OIGNON ÉMINCÉ
 1 GOUSSE D'AIL ÉCRASÉE ET HACHÉE FIN
   SEL
   POIVRE DU MOULIN
 2 T. DE SAUCE TOMATE CHAUDE (RECETTE 33)
```

Faire chauffer le four à « broil ».

Plonger les saucisses de porc dans une grosse casserole remplie d'eau bouillante et faire cuire 5 minutes, sans couvercle, à feu très vif.

Egoutter et mettre de côté.

Plonger le spaghetti dans une marmite remplie d'eau bouillante salée et le faire cuire 10 minutes, sans couvercle, à feu très vif. Rafraîchir le spaghetti à l'eau froide au moins 6 minutes.

Egoutter et mettre de côté.

Dans une casserole moyenne, épaisse, faire fondre le beurre à feu vif, jusqu'à l'apparition d'écume. Réduire à feu moyen, ajouter les oignons et faire cuire 2 minutes, sans couvercle, en remuant fréquemment. Ajouter les champignons et l'ail aux oignons, saler, poivrer et faire cuire 5 à 6 minutes, sans couvercle, en remuant fréquemment.

Ajouter la sauce tomate.

Porter la sauce au point d'ébullition, à feu vif. Réduire à feu moyen et laisser mijoter la sauce 15 minutes, sans couvercle.

Faire griller les saucisses 3 à 4 minutes de chaque côté, au four, à 6 pouces de l'élément supérieur.

Placer les spaghetti dans une passoire et plonger la passoire dans l'eau chaude 4 minutes, afin de réchauffer le spaghetti.

Egoutter et transférer à 4 plats chauds.

Disposer 4 saucisses grillées dans chaque assiette et couvrir de sauce.

Soufflés et fondues

96

Soufflé au fromage

(pour 4 personnes)

3 C. À SOUPE DE BEURRE
3 C. À SOUPE DE FARINE
1 T. DE LAIT BOUILLANT
4 JAUNES D'OEUFS
5 BLANCS D'OEUFS
1 T. DE GRUYÈRE OU DE CHEDDAR FORT RÂPÉ
1 PLAT À SOUFFLÉ (CAPACITÉ: 6 T.)

Faire chauffer le four à 375 °F.

Beurrer le plat à soufflé et saupoudrer d'un peu de fromage râpé.

Dans une petite casserole épaisse, faire fondre le beurre à feu doux. Ajouter la farine et faire cuire le « roux » 3 minutes, sans couvercle, en remuant constamment.

Retirer la casserole du feu, ajouter le lait bouillant et bien mélanger avec une cuiller de bois.

Remettre la casserole au feu et faire cuire la sauce 2 à 3 minutes, sans couvercle, à feu doux, en remuant constamment.

Retirer la casserole du feu et ajouter les jaunes d'œufs, un à la fois; incorporer chaque jaune d'œuf à la sauce avant d'ajouter le suivant.

Saler, poivrer et ajouter une touche de poivre de Cayenne.

Monter les blancs d'œufs en neige ferme. Incorporer 3 c. à soupe de blanc d'œufs à la sauce avec une spatule de caoutchouc.

Mélanger le fromage à la sauce.

Incorporer les blancs d'œufs soigneusement à la sauce à l'aide de la spatule de caoutchouc.

Verser soigneusement dans le moule préparé.

Faire cuire le soufflé 30 minutes au milieu du four.

97

Soufflé aux pommes de terre

(pour 4 personnes)

---

10 ONCES DE POMMES DE TERRE CRUES BIEN NETTOYÉES
2 C. À SOUPE DE BEURRE
¾ T. DE CRÈME LÉGÈRE (15%)
4 JAUNES D'OEUFS ET 5 BLANCS D'OEUFS
SEL
POIVRE DU MOULIN
1 PETITE PINCÉE DE POIVRE DE CAYENNE
1 PETITE PINCÉE DE MUSCADE
1 PLAT À SOUFFLÉ BEURRÉ (CAPACITÉ: 6 T.)

Faire chauffer le four à 375 °F.

Plonger les pommes de terre dans une casserole remplie d'eau bouillante salée et faire cuire jusqu'à ce qu'elles soient tendres. Rafraîchir les pommes de terre à l'eau froide au moins 4 minutes. Peler et passer les pommes de terre à travers un tamis.

Placer les pommes de terre dans une casserole et faire cuire 2 à 3 minutes, sans couvercle, à feu moyen, afin de faire évaporer l'excès d'eau.

Ajouter le beurre et la crème et bien mélanger.

Retirer la casserole du feu et ajouter les jaunes d'œufs, un à la fois; incorporer chaque jaune d'œuf aux pommes de terre avant d'ajouter le suivant.

Saler, poivrer, ajouter le poivre de Cayenne et la muscade.

Monter les blancs d'œufs en neige ferme.

Incorporer 3 c. à soupe de blanc d'œufs aux pommes de terre avec une spatule de caoutchouc. Mélanger le reste des blancs d'œufs soigneusement aux pommes de terre à l'aide de la spatule de caoutchouc.

Verser soigneusement dans le moule préparé.

Faire cuire le soufflé 25 minutes au milieu du four.

98

Fondue bourguignonne

PAR PERSONNE:

> 6 ONCES DE FILET (COUPÉ DU PETIT BOUT DU FILET) EN CUBES DE 1 POUCE
> ¼ T. DE SAUCE BÉARNAISE CHAUDE (RECETTE 34)
> ¼ T. DE SAUCE BOURGUIGNONNE CHAUDE (RECETTE 30)
> ¼ T. D'AILLOLI (RECETTE 49)

Je vous recommande d'utiliser l'huile d'arachide.

Faire griller des têtes de champignons avec un peu de beurre d'ail et servir avec la fondue bourguignonne.

99

Fondue de fromage

(pour 4 personnes)

---

1 LB DE GRUYÈRE EN CUBES
½ LB D'EMMENTHAL EN CUBES
1 GOUSSE D'AIL PELÉE
3 ONCES DE KIRSCH
1 T. DE VIN BLANC
1 C. À THÉ DE FÉCULE DE MAÏS
   SEL
   POIVRE BLANC DU MOULIN
1 PINCÉE DE MUSCADE
   PAIN FRANÇAIS, EN CUBES DE 1 POUCE

Frotter l'intérieur du plat à fondue en faïence avec la gousse d'ail; jeter la gousse d'ail.

Mélanger le kirsch, le vin blanc et la fécule de maïs; mettre de côté.

Allumer le brûleur et faire fondre le fromage dans le plat à fondue en remuant constamment.

Lorsque le fromage commence à fondre, ajouter le mélange de kirsch, vin et fécule de maïs, en remuant. Saler, poivrer et ajouter la muscade.

Remuer jusqu'à ce que la fondue épaississe.

Servir avec le pain français.

Poissons

100

Truite des lacs au four

(pour 4 personnes)

1 TRUITE DE 3 LB, BIEN NETTOYÉE
3 C. À SOUPE DE BEURRE
1 OIGNON PELÉ ET ÉMINCÉ
2 ÉCHALOTES SÈCHES HACHÉES FIN
1 CAROTTE ÉMINCÉE
  SEL
  POIVRE DU MOULIN
¼ C. À THÉ DE THYM
1 FEUILLE DE LAURIER
  QUELQUES GRAINES DE FENOUIL
4 ONCES DE VIN BLANC SEC
2 ONCES D'EAU
  JUS DE ½ CITRON
1 BRANCHE DE PERSIL

Faire chauffer le four à 350 °F.

Dans une casserole, faire fondre le beurre à feu vif, jusqu'à l'apparition d'écume. Réduire à feu moyen, ajouter les oignons, les échalotes sèches, les carottes et les épices, et faire mijoter 4 minutes, sans couvercle, en remuant fréquemment.

Saler et poivrer. Ajouter le vin blanc, l'eau, le jus de citron et la branche de persil.

Porter le liquide au point d'ébullition, à feu vif. Réduire à feu moyen et laisser mijoter le liquide 5 minutes. Retirer la casserole du feu et mettre de côté.

Nettoyer la truite à l'eau froide et égoutter sur des serviettes de papier.

Placer la truite au milieu d'un grand morceau de papier d'aluminium. Envelopper la truite en pliant le papier sur le sens de la longueur.

Ne pas trop serrer.

Plier un bout du papier afin de former un genre de sac.

Verser le contenu de la casserole dans ce « sac ». Sceller le liquide dans le papier en pliant le deuxième bout du papier.

Placer la truite dans un plat à rôtir.

Faire cuire la truite 45 minutes au four (ou 15 minutes par livre).

Retirer la truite du four.

Ouvrir le papier à un bout et verser le liquide de cuisson dans une petite casserole.

Défaire le papier et disposer soigneusement la truite sur un plat de présentation chaud.

Verser le liquide de cuisson et les légumes sur la truite.

Garnir de quartiers de citron.

101

Brocheton (jeune brochet) à la Coker

(pour 4 personnes)

---

4 *FILETS DE BROCHETON DE 8 ONCES CHACUN*
1 *T. DE LAIT*
  SEL
1 *T. DE FARINE*
3 *C. À SOUPE DE BEURRE*
1 *C. À SOUPE D'HUILE D'OLIVE*
  JUS DE ½ CITRON
2 *C. À SOUPE DE CÂPRES*
  POIVRE DU MOULIN
1 *C. À SOUPE DE PERSIL FRAIS HACHÉ FIN*

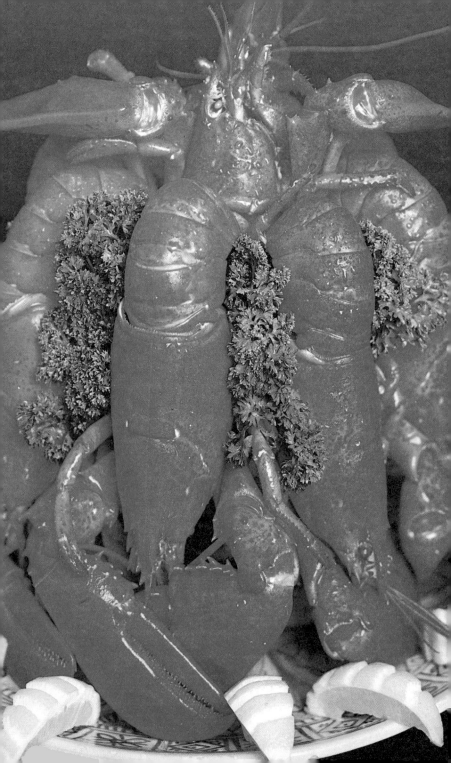

Faire chauffer le four à 350 °F.

Bien nettoyer les filets de brocheton à l'eau froide et égoutter sur des serviettes de papier.

Dans un bol, mélanger le lait et ¼ c. à thé de sel.

Plonger les filets dans le lait salé et ensuite dans la farine.

Secouer légèrement pour enlever l'excès de farine.

Mettre de côté sur une feuille de papier ciré.

Faire chauffer 2 c. à soupe de beurre et l'huile d'olive dans une sauteuse allant au four, à feu vif. Aussitôt que l'écume disparaît, ajouter les filets et réduire à feu moyen.

Faire cuire les filets 4 à 5 minutes de chaque côté, sans couvercle. Saler et poivrer.

Placer la sauteuse au four et faire cuire les filets 5 à 6 minutes, sans couvercle, ou jusqu'à ce que la chair soit ferme au toucher.

Disposer les filets sur un plat de présentation chaud.

Jeter le gras de la sauteuse.

Faire brunir la dernière c. à soupe de beurre dans la sauteuse, à feu moyen, pendant une minute.

Ajouter le jus de citron, les câpres et le persil au beurre.

Verser cette sauce sur les filets et servir immédiatement.

102

Filets de perche avec champignons

(pour 4 personnes)

8 FILETS DE PERCHE DE 3 À 5 ONCES CHACUN
1 OEUF
1 T. DE LAIT
  SEL
1 T. DE FARINE
3 C. À SOUPE DE BEURRE CLARIFIÉ, OU
    3 C. À SOUPE D'HUILE VÉGÉTALE
  POIVRE DU MOULIN

1 C. À SOUPE DE BEURRE
½ LB DE CHAMPIGNONS ÉMINCÉS
   JUS DE ½ CITRON
1 C. À SOUPE DE PERSIL FRAIS HACHÉ FIN

Bien nettoyer les filets à l'eau froide et les égoutter sur des serviettes de papier.

Battre légèrement l'œuf dans un gros bol. Ajouter le lait et ¼ c. à thé de sel; bien mélanger.

Plonger les filets dans le mélange d'œuf et de lait et ensuite dans la farine.

Secouer légèrement pour enlever l'excès de farine.

Mettre les filets de côté sur une feuille de papier ciré.

Faire chauffer le beurre clarifié ou l'huile dans une sauteuse, à feu vif. Ajouter les filets et faire sauter à feu vif 4 minutes de chaque côté, sans couvercle. Saler et poivrer.

Disposer les filets dans un plat de présentation chaud.

Jeter le gras de la sauteuse.

Faire fondre la dernière c. à soupe de beurre dans la sauteuse, à feu vif, jusqu'à l'apparition d'écume. Réduire à feu moyen, ajouter les champignons et faire cuire 5 minutes, sans couvercle, en remuant à l'occasion.

Ajouter le jus de citron et le persil aux champignons.

Saler et poivrer.

Verser les champignons sur les filets et servir immédiatement.

103

Truite des lacs amandine

(pour 4 personnes)

4 TRUITES DES LACS DE 10 ONCES CHACUNE, NETTOYÉES
1 OEUF
1 T. DE LAIT
   SEL
1 T. DE FARINE

3 C. À SOUPE DE BEURRE CLARIFIÉ, OU
   3 C. À SOUPE D'HUILE VÉGÉTALE
   POIVRE DU MOULIN
1 C. À SOUPE DE BEURRE
2 C. À SOUPE D'AMANDES EFFILÉES
   JUS DE ½ CITRON
1 C. À SOUPE DE PERSIL FRAIS HACHÉ FIN

Faire chauffer le four à 350 °F.

Nettoyer les truites à l'eau froide et égoutter sur des serviettes de papier.

Saler et poivrer la cavité de la truite.

Battre légèrement l'œuf dans un gros bol. Ajouter le lait et ¼ c. à thé de sel; bien mélanger.

Plonger les truites dans le mélange d'œuf et de lait et ensuite dans la farine.

Secouer légèrement pour enlever l'excès de farine.

Mettre les truites de côté sur un papier ciré.

Faire chauffer le beurre clarifié ou l'huile dans une sauteuse, à feu vif. Ajouter les truites et faire sauter à feu vif 4 à 5 minutes de chaque côté, sans couvercle. Saler et poivrer.

Placer la sauteuse au four et faire cuire les truites 5 à 6 minutes, sans couvercle.

Disposer les truites sur un plat de présentation chaud.

Jeter le gras de la sauteuse.

Faire fondre la dernière c. à soupe de beurre dans la sauteuse, à feu moyen; faire brunir le beurre une minute.

Ajouter les amandes et faire cuire une minute.

Ajouter le jus de citron et le persil haché aux amandes.

Verser cette sauce sur les truites.

104

Saumon poché au court-bouillon

(pour 4 personnes)

---

4 TRANCHES DE SAUMON D'UN POUCE D'ÉPAISSEUR
COURT-BOUILLON (RECETTE 19)
3 C. À SOUPE DE BEURRE
JUS DE ½ CITRON
1 C. À SOUPE DE PERSIL FRAIS HACHÉ FIN
SEL
POIVRE DU MOULIN

Disposer les tranches de saumon dans un plat à rôtir ou sur la grille d'une poissonnière. Placer la grille au fond de la poissonnière.

Couvrir le saumon de court-bouillon.

Couvrir et porter le liquide au point d'ébullition, à feu moyen.

Laisser mijoter le saumon dans le court-bouillon 15 à 20 minutes.

Disposer les tranches de saumon sur un plat de présentation chaud.

Saler et poivrer.

Faire réduire 2 c. à soupe de court-bouillon dans une petite casserole, une minute, à feu vif.

Incorporer 3 c. à soupe de beurre au liquide bouillant à l'aide d'un fouet.

Retirer la casserole du feu.

Ajouter le jus de citron et le persil à la sauce et verser sur le saumon.

105

Saumon poché au court-bouillon avec sauce mousseline

(pour 4 personnes)

---

4 TRANCHES DE SAUMON D'UN POUCE D'ÉPAISSEUR
COURT-BOUILLON (RECETTE 19)
SEL
POIVRE DU MOULIN
1 T. DE SAUCE MOUSSELINE (RECETTE 36)

Disposer les tranches de saumon dans un plat à rôtir ou sur la grille d'une poissonnière. Placer la grille au fond de la poissonnière.

Couvrir le saumon de court-bouillon.

Couvrir et porter le liquide au point d'ébullition, à feu moyen.

Laisser mijoter le saumon dans le court-bouillon 15 à 20 minutes.

Disposer les tranches de saumon sur un plat de présentation chaud.

Saler et poivrer.

Verser la sauce mousseline sur le saumon; servir immédiatement.

106

Flétan poché au court-bouillon avec sauce aux champignons

(pour 4 personnes)

---

4 TRANCHES DE FLÉTAN D'UN POUCE D'ÉPAISSEUR
COURT-BOUILLON (RECETTE 19)
SEL
POIVRE DU MOULIN

LA SAUCE:

½ LB DE CHAMPIGNONS ÉMINCÉS
2 C. À SOUPE DE BEURRE
1 ÉCHALOTE SÈCHE HACHÉE FIN
1 T. DE BÉCHAMEL LÉGÈRE CHAUDE (RECETTE 24)
2 C. À SOUPE DE COURT-BOUILLON CHAUD
SEL
POIVRE DU MOULIN

Disposer les tranches de flétan dans un plat à rôtir ou sur la grille d'une poissonnière. Placer la grille au fond de la poissonnière.

Couvrir le flétan de court-bouillon.

Couvrir et porter le liquide au point d'ébullition, à feu moyen.

Faire mijoter le flétan dans le court-bouillon 15 à 20 minutes.

Pendant la cuisson, faire fondre 2 c. à soupe de beurre dans une casserole moyenne, épaisse, à feu vif. Lorsque l'écume apparaît, ajouter les échalotes, réduire à feu moyen et faire cuire une minute, sans couvercle.

Ajouter les champignons aux échalotes et faire cuire, sans couvercle, 3 à 4 minutes en remuant à l'occasion.

Incorporer la béchamel et 2 c. à soupe de court-bouillon aux champignons. Saler et poivrer.

Disposer les tranches de flétan sur un plat de présentation chaud.

Verser la sauce sur le flétan; servir immédiatement.

107

Morue gratinée

(pour 4 personnes)

---

2 LB DE FILET DE MORUE
COURT-BOUILLON (RECETTE 19)
2 T. DE BÉCHAMEL ÉPAISSE CHAUDE (RECETTE 25)
SEL
POIVRE BLANC DU MOULIN

1 PETITE PINCÉE DE POIVRE DE CAYENNE
½ T. DE FROMAGE RÂPÉ

Faire chauffer le four à «broil».

Nettoyer la morue à l'eau froide.

Placer la morue dans un plat à rôtir beurré, saler, poivrer et couvrir de court-bouillon.

Couvrir la morue d'un papier ciré beurré. Presser le papier ciré sur la surface du liquide.

Porter le liquide au point d'ébullition, à feu moyen. Réduire à feu doux et laisser mijoter le liquide 30 minutes (ou 15 minutes par livre de morue).

5 minutes avant la fin de la cuisson, verser 2 à 3 c. à soupe de court-bouillon chaud dans une casserole moyenne. Faire réduire le court-bouillon une minute, à feu vif.

Ajouter la béchamel au court-bouillon réduit, saler, poivrer et ajouter le poivre de Cayenne. Bien mélanger.

Retirer la casserole du feu.

Placer la morue dans un plat à gratin. Verser la sauce sur la morue et saupoudrer de fromage râpé.

Faire griller la morue 6 à 7 minutes, à 6 pouces de l'élément supérieur du four.

108

Morue à l'espagnole

(pour 4 personnes)

---

2 LB DE MORUE
2 C. À SOUPE DE BEURRE
1 PIMENT VERT ÉMINCÉ (EN ENLEVER LES SEMENCES)
½ LB DE CHAMPIGNONS ÉMINCÉS
1 PINCÉE DE THYM
½ C. À THÉ D'ESTRAGON
½ C. À THÉ DE CERFEUIL
1 PINCÉE DE GRAINES DE FENOUIL

8 QUARTIERS DE TOMATES
1 FEUILLE DE LAURIER
  SEL
  POIVRE DU MOULIN
½ T. DE VIN BLANC SEC
1 T. D'EAU
  JUS DE ½ CITRON
1 C. À SOUPE DE PERSIL FRAIS HACHÉ FIN

Faire chauffer le four à 350 °F.

Dans une sauteuse, faire fondre le beurre à feu vif, jusqu'à l'apparition d'écume. Ajouter le piment vert, les champignons, le thym, l'estragon, le cerfeuil et les graines de fenouil. Réduire à feu moyen et faire cuire 4 minutes, sans couvercle, en remuant à l'occasion. Ajouter les quartiers de tomates et la feuille de laurier, et faire cuire une minute, sans couvercle. Saler, poivrer et retirer la sauteuse du feu.

Nettoyer la morue à l'eau froide et égoutter sur des serviettes de papier. Saler et poivrer.

Placer la morue dans un plat à gratin beurré.

Verser le contenu de la sauteuse sur la morue.

Verser le vin blanc et l'eau sur la morue; corriger l'assaisonnement.

Couvrir le plat à gratin d'un papier d'aluminium.

Faire cuire la morue 30 minutes au four.

Disposer les morceaux de morue sur un plat de présentation chaud.

Faire réduire le liquide de cuisson 3 à 4 minutes, à feu vif.

Incorporer le jus de citron à la sauce et jeter la feuille de laurier.

Verser la sauce sur la morue.

Garnir de persil frais.

Filet de doré grillé avec beurre d'échalote

(pour 4 personnes)

---

4 FILETS DE DORÉ DE 8 ONCES CHACUN
2 C. À SOUPE D'HUILE VÉGÉTALE
SEL
POIVRE DU MOULIN
JUS DE ½ CITRON
4 C. À THÉ DE BEURRE D'ÉCHALOTE (RECETTE 9)

Faire chauffer le four à « broil ».

Bien nettoyer les filets de doré à l'eau froide.

Egoutter les filets sur des serviettes de papier.

Couvrir les filets d'une légère couche d'huile d'olive.

Saler et poivrer.

Disposer les filets sur un plat à rôtir.

Faire griller les filets 7 minutes de chaque côté, à 6 pouces de l'élément supérieur du four. Badigeonner d'huile à l'occasion.

Retirer le plat à rôtir du four.

Saler et poivrer de nouveau.

Verser le jus de citron sur les filets.

Placer 1 c. à thé de beurre d'échalote sur chaque filet.

Remettre les filets au four et faire griller jusqu'à ce que le beurre d'échalote soit fondu.

110
Sole bretonne

(pour 4 personnes)

```
    8  FILETS DE SOLE DE 4 ONCES CHACUN
 1½  T. DE LAIT
    2  OEUFS
       SEL
       POIVRE DU MOULIN
 1½  T. DE FARINE
    6  C. À SOUPE DE BEURRE
   ½  LB DE CHAMPIGNONS, EN QUARTIERS
   ¾  LB DE CREVETTES CUITES, DÉCORTIQUÉES,
          NETTOYÉES ET HACHÉES
          (VOIR RECETTE 111 POUR LA TECHNIQUE
          DE CUISSON)
    1  C. À SOUPE DE CÂPRES
    1  C. À SOUPE DE PERSIL FRAIS HACHÉ FIN
       JUS DE ½ CITRON
```

Nettoyer les filets à l'eau froide et égoutter sur des serviettes de papier.

Battre légèrement les œufs et le lait avec un fouet. Saler les filets. Plonger les filets dans les œufs et le lait, et ensuite dans la farine.

Secouer légèrement pour enlever l'excès de farine.

Faire fondre 4 c. à soupe de beurre dans une sauteuse, à feu vif. Lorsque l'écume disparaît, ajouter les filets et réduire à feu moyen.

Faire cuire les filets 5 minutes de chaque côté, sans couvercle.

Saler et poivrer; disposer les filets dans un plat de service chaud.

Jeter l'excès de gras de la sauteuse.

Faire fondre 2 c. à soupe de beurre frais dans la sauteuse.

Ajouter les champignons et faire cuire 2 minutes, sans couvercle, à feu moyen, en remuant à l'occasion.

Ajouter les crevettes aux champignons et faire cuire 2 minutes, sans couvercle, en remuant à l'occasion.

Saler et poivrer. Ajouter les câpres, le persil frais et le jus de citron; verser sur les filets.

111

Technique de cuisson: les crevettes

Il existe deux techniques de cuisson s'appliquant aux crevettes:

a) — nettoyer les crevettes à l'eau froide;
   — plonger les crevettes dans une grosse casserole remplie d'eau froide salée* additionnée de 1 c. à soupe de vinaigre blanc (facultatif);
   — porter le liquide au point d'ébullition, à feu très vif;
   — les crevettes sont cuites aussitôt que le liquide atteint le point d'ébullition;
   — rafraîchir immédiatement les crevettes à l'eau froide, au moins 4 minutes.

b) — nettoyer les crevettes à l'eau froide;
   — plonger les crevettes dans une grosse casserole remplie d'eau bouillante salée* additionnée de 1 c. à soupe de vinaigre blanc (facultatif);
   — laisser mijoter les crevettes 3 minutes;
   — rafraîchir immédiatement les crevettes à l'eau froide, au moins 4 minutes.

Ne pas décortiquer les crevettes si vous désirez les conserver au réfrigérateur.

Avant d'utiliser les crevettes cuites, les décortiquer et nettoyer; c'est-à-dire, faire une incision le long du dos des crevettes et en enlever la veine.

Rincer les crevettes à l'eau froide.

* Ou court-bouillon (recette 19).

112

Homard à la Newburg

(pour 4 personnes)

---

2 HOMARDS CUITS*, DE 1½ LB CHACUN
1 C. À SOUPE DE BEURRE
1 ÉCHALOTE SÈCHE HACHÉE FIN
   PAPRIKA
6 CHAMPIGNONS, EN QUARTIERS
⅓ T. DE MADÈRE, OU
     ⅓ T. DE COGNAC
½ T. DE COURT-BOUILLON CHAUD (RECETTE 19)
1 T. + 1 C. À SOUPE DE CRÈME ÉPAISSE (35%)
   SEL
   POIVRE DU MOULIN
2 C. À SOUPE DE BEURRE MANIÉ (RECETTE 12)
1 JAUNE D'OEUF

Retirer la chair de la queue, des pinces et du corps du homard. Mettre de côté les intestins et le corail.

Couper la chair du homard en morceaux de ¾ de pouce, en biais.

Faire fondre le beurre dans une sauteuse, à feu vif, jusqu'à l'apparition d'écume. Ajouter le homard et les échalotes, et saupoudrer de paprika.

Réduire à feu moyen et faire cuire 3 minutes, sans couvercle, en remuant fréquemment.

Verser le homard dans un plat chaud.

* Plonger les homards vivants, un à la fois, dans une marmite remplie d'eau bouillante salée.
Durée de la cuisson:
   Homard de 1 lb: 16 minutes;
   homard de 1½ lb: 19 minutes.
Rafraîchir les homards à l'eau froide.

LA SAUCE

Ajouter les champignons à la sauteuse et faire cuire 4 minutes, à feu vif, en remuant constamment.

Ajouter le madère (ou le cognac) aux champignons, porter le liquide au point d'ébullition, à feu vif, et faire réduire le liquide 2 minutes.

Ajouter le court-bouillon et faire réduire le liquide 3 à 4 minutes.

Ajouter 1 t. de crème épaisse, porter le liquide au point d'ébullition et faire réduire le liquide 3 à 4 minutes.

Incorporer le beurre manié à la sauce à l'aide d'un fouet, à feu vif.

Ajouter le homard et le jus du homard à la sauce.

Corriger l'assaisonnement.

Dans un petit bol, mélanger le jaune d'œuf, la dernière c. à soupe de crème épaisse, les intestins et le corail du homard.

Incorporer le contenu du bol à la sauce.

Présenter le homard à la Newburg sur un nid de riz.

113

Homard à la Lincoln

(pour 4 personnes)

---

2 HOMARDS CUITS*, DE 1½ LB CHACUN
3 C. À SOUPE DE BEURRE
2 ÉCHALOTES SÈCHES HACHÉES FIN
½ LB DE CHAMPIGNONS ÉMINCÉS
1 GOUSSE D'AIL ÉCRASÉE ET HACHÉE FIN
½ C. À THÉ D'ESTRAGON
1½ T. DE BÉCHAMEL LÉGÈRE, CHAUDE (RECETTE 24)
SEL

---

* Plonger les homards vivants, un à la fois, dans une marmite remplie d'eau bouillante salée.
Durée de la cuisson:
   Homard de 1 lb: 16 minutes;
   homard de 1½ lb: 19 minutes.
Rafraîchir les homards à l'eau froide.

POIVRE DU MOULIN
SAUCE WORCESTERSHIRE
1 C. À THÉ DE MOUTARDE SÈCHE
¼ T. DE MOZZARELLA RÂPÉ
BRANCHES DE PERSIL
QUARTIERS DE CITRON

Faire chauffer le four à « broil ».

Retirer la chair de la queue et des pinces des homards.

Couper les homards en deux dans le sens de la longueur. Retirer la chair et gratter l'intérieur de la carapace des homards.

Mettre de côté les intestins, le corail et le liquide des homards.

Faire griller les carapaces 6 à 7 minutes, à 6 pouces de l'élément supérieur du four.

Mettre les carapaces de côté.

Dans une sauteuse, faire fondre le beurre à feu vif, jusqu'à l'apparition d'écume. Ajouter les échalotes, les champignons, l'ail et l'estragon, et réduire à feu moyen; faire cuire 4 minutes, sans couvercle, en remuant fréquemment.

Verser la béchamel dans la sauteuse et ajouter la chair des homards, le liquide, les intestins et le corail des homards.

Saler, poivrer, ajouter la sauce Worcestershire et la moutarde sèche.

Disposer les carapaces dans un plat à gratin beurré.

Verser le mélange dans les carapaces et saupoudrer de fromage râpé.

Faire griller les homards 6 minutes, à 6 pouces de l'élément supérieur du four.

Garnir de branches de persil et de quartiers de citron.

114
Crevettes à la provençale
(pour 4 personnes)

2 LB DE CREVETTES CUITES, DÉCORTIQUÉES
ET NETTOYÉES

(GROSSEUR: 15 À 20 CREVETTES PAR LIVRE)
(VOIR RECETTE 111 POUR LA TECHNIQUE
DE CUISSON)
2 C. À SOUPE D'HUILE VÉGÉTALE OU D'HUILE D'OLIVE
1 BOÎTE DE 28 ONCES DE TOMATES ÉGOUTTÉES
    ET HACHÉES
2 GOUSSES D'AIL ÉCRASÉES ET HACHÉES FIN
½ C. À THÉ D'ESTRAGON
½ C. À THÉ D'ORIGAN
    SEL
    POIVRE DU MOULIN
2 C. À SOUPE DE BEURRE
1 C. À SOUPE DE PERSIL FRAIS HACHÉ FIN

Faire chauffer l'huile dans une casserole moyenne, épaisse, à feu vif.

Ajouter les tomates, l'ail, l'estragon et l'origan. Réduire à feu moyen et faire cuire 9 à 10 minutes, sans couvercle, en remuant à l'occasion.

Saler et poivrer.

Dans une sauteuse, faire fondre le beurre à feu vif.

Lorsque l'écume disparaît, ajouter les crevettes et faire sauter 2 minutes, sans couvercle, en remuant fréquemment.

Incorporer la sauce de tomate aux crevettes et corriger l'assaisonnement.

Garnir de persil frais.

115

Langoustines gratinées

(pour 4 personnes)

---

32 LANGOUSTINES (GROSSEUR: 18 À 24 LANGOUSTINES
    PAR LIVRE)
    SEL
    POIVRE DU MOULIN
    JUS DE 1 CITRON

Faire chauffer le four à 400 °F.

Nettoyer les langoustines à l'eau froide.

Faire une incision le long du dos des langoustines, d'une profondeur de trois quarts de l'épaisseur des langoustines.

Ouvrir les langoustines et les disposer, l'écaille à plat, au fond d'un plat à gratin beurré.

Saler et poivrer.

Mouiller les langoustines de jus de citron.

Etendre ½ c. à thé de beurre d'ail sur chaque langoustine.

Saupoudrer de chapelure.

Faire griller les langoustines 8 à 10 minutes, à 6 pouces de l'élément supérieur du four.

116

Pattes de crabe Alaska

(pour 4 personnes)

4 LB DE PATTES DE CRABE EN MORCEAUX DE 5 POUCES
½ LB DE BEURRE D'AIL À LA TEMPÉRATURE DE LA
    PIÈCE (RECETTE 8)

Faire chauffer le four à 375 °F.

Briser la carapace du crabe à tous les 2 pouces.

Remplir une poche de beurre d'ail.

Forcer le beurre à l'intérieur de la carapace.

Disposer les pattes de crabe dans un plat à gratin.

Faire cuire 15 minutes au four.

Garnir les pattes de crabe de quartiers de citron.

* Ou beurre d'échalote (recette 9).

117

Cuisses de grenouilles
à la provençale

(pour 4 personnes)

2½ LB DE CUISSES DE GRENOUILLES
    (GROSSEUR: 9 CUISSES PAR LIVRE)
1½ T. DE LAIT
    SEL
    POIVRE DU MOULIN
1 T. DE FARINE
4 C. À SOUPE DE BEURRE
1 C. À SOUPE D'HUILE VÉGÉTALE
3 GOUSSES D'AIL ÉCRASÉES ET HACHÉES FIN
1 C. À THÉ DE PERSIL FRAIS HACHÉ FIN
    JUS DE ½ CITRON

Nettoyer les cuisses de grenouilles à l'eau froide.

Plier la cuisse de grenouille le long de la jointure. Glisser et retenir la partie charnue de la cuisse entre l'os et le ligament opposés.

Mélanger le lait, ¼ c. à thé de sel et le poivre dans un bol.

Faire mariner les cuisses de grenouilles une heure dans le lait.

Plonger les cuisses de grenouilles dans la farine et secouer légèrement pour enlever l'excès de farine.

Mettre de côté sur une feuille de papier ciré.

Faire fondre 2 c. à soupe de beurre et 1 c. à soupe d'huile dans une sauteuse, à feu moyen. Lorsque l'écume disparaît, ajouter les cuisses de grenouilles.

Faire cuire les cuisses de grenouilles 4 minutes de chaque côté. Placer la sauteuse au four et faire cuire 4 à 5 minutes, à 350 °F, sans couvercle; OU pour une peau croustillante, faire cuire les cuisses de grenouilles 7 à 8 minutes de chaque côté.

Disposer les cuisses de grenouilles cuites sur un plat de service chaud; saler et poivrer.

Verser l'excès de gras de la sauteuse.

Faire fondre les 2 dernières c. à soupe de beurre dans la sauteuse, à feu moyen, jusqu'à l'apparition d'écume. Ajouter l'ail, le persil frais; poivrer. Laisser mijoter 1 à 2 minutes. Ajouter le jus de citron à la sauce.

Verser la sauce sur les cuisses de grenouilles.

Boeuf

118

Méthode de cuisson: le rôti de boeuf

QUELQUES CONSEILS

Plusieurs coupes de bœuf peuvent être rôties; le rôti de côtes demeure le plus savoureux. Les côtes de cette coupe donnent une excellente saveur au bœuf; cependant, c'est une des coupes les plus coûteuses.

L'œil de ronde, la croupe et la pointe de surlonge peuvent aussi être rôtis avec d'excellents résultats. L'absence de gras et d'os rend ces coupes de bœuf plus économiques que le rôti de côtes.

Votre boucher devrait laisser vieillir la coupe de bœuf de 2 à 3 semaines pour l'attendrir et la rendre plus savoureuse. Après l'achat, le rôti devrait être enveloppé d'un papier ciré huilé.

Durant l'été, une coupe de bœuf désossée enveloppée d'un papier ciré huilé se conserve 3 jours au réfrigérateur.

Durant l'hiver, la même coupe de bœuf se conserve 4 jours.

Les coupes de bœuf qui n'ont pas été désossées se conservent un maximum de 5 jours au réfrigérateur, enveloppées d'un papier ciré huilé.

INGRÉDIENTS — POUR 4 PERSONNES

1 RÔTI DE CÔTES DE 6 LB, OU
1 RÔTI D'OEIL DE RONDE DE 3 LB, OU
1 RÔTI DE CROUPE DE 4 LB, OU
1 RÔTI DE POINTE DE SURLONGE DE 3 LB

¼ C. À THÉ DE BASILIC
¼ C. À THÉ DE THYM
½ C. À THÉ DE CERFEUIL
  POIVRE DU MOULIN
1 C. À SOUPE D'HUILE VÉGÉTALE
  SEL
2 C. À SOUPE DE CAROTTES HACHÉES FIN
2 C. À SOUPE D'OIGNONS HACHÉS FIN
1 C. À SOUPE DE CÉLERI HACHÉ FIN
1 ÉCHALOTE SÈCHE HACHÉE FIN
1 FEUILLE DE LAURIER
1½ T. DE FOND (BOUILLON) DE BOEUF CHAUD
  (RECETTES 15 ET 16)

Faire chauffer le four à 450 °F.

Couper une lanière mince de bœuf en morceaux de ½ pouce.
Mélanger le basilic, le thym et le cerfeuil dans un petit bol.
Rouler les petits morceaux de bœuf dans les épices.

Faire des incisions d'une profondeur de ½ pouce dans le rôti et insérer un petit morceau de bœuf épicé dans chaque incision. S'il s'agit d'un rôti de côtes, insérer des morceaux de bœuf épicé entre les côtes.

Les coupes de bœuf maigres devraient être frottées d'huile végétale.
Poivrer le rôti. Ne pas saler, car le sel ferait durcir la viande.

Verser 1 c. à soupe d'huile végétale dans un plat à rôtir.
Faire chauffer l'huile au four 3 à 4 minutes.

Placer le rôti dans le plat à rôtir, le gras vers le haut.
Faire cuire le rôti 30 minutes au four.

Réduire la température du four à 350 °F. Saler le rôti.

Durée totale de la cuisson, incluant 30 minutes à 450 °F:

    18 minutes par livre: *saignant*

20 minutes par livre: *médium-saignant*
24 minutes par livre: *bien cuit*

A toutes les 15 minutes, badigeonner le rôti et enlever le gras.

Lorsque le rôti est cuit, le placer sur une planche à découper. Le laisser reposer 15 minutes afin d'effectuer la redistribution des jus du rôti.

Durant ce temps, retirer tout le gras du plat à rôtir, sauf 2 c. à soupe. Conserver le plus de jus de cuisson possible.

Ajouter carottes, céleri, oignons, échalotes, le reste des épices et la feuille de laurier au contenu du plat à rôtir.

Faire cuire les légumes 5 à 6 minutes, à feu vif, sans couvercle.

Ajouter le fond (bouillon) de bœuf aux légumes, saler et poivrer. Faire réduire la sauce 4 à 5 minutes, à feu vif.

Verser le contenu du plat à rôtir dans une casserole moyenne.

Faire réduire la sauce 4 à 5 minutes, à feu vif.

Passer la sauce à la passoire.

Enlever le gras à l'aide d'une écumoire.

Trancher le rôti.

Verser le jus du rôti dans la sauce.

Servir la sauce dans une saucière.

119

Entrecôte bordelaise

(pour 2 personnes)

---

2 ENTRECÔTES DÉSOSSÉES, DE 10 ONCES CHACUNE
1 C. À SOUPE D'HUILE VÉGÉTALE
   SEL
   POIVRE DU MOULIN
1 T. DE SAUCE BOURGUIGNONNE CHAUDE (RECETTE 30)
1 C. À THÉ DE PERSIL FRAIS HACHÉ FIN

Faire chauffer l'huile dans une sauteuse épaisse, à feu vif, jusqu'à ce qu'elle soit très chaude.

Jeter l'huile, réduire à feu moyen et ajouter immédiatement les entrecôtes.

Faire cuire les entrecôtes:

> 5 minutes de chaque côté: *médium-saignant*
> 6 minutes de chaque côté: *médium*
> 8 minutes de chaque côté: *bien cuit*

Saler, poivrer et disposer les entrecôtes sur un plat de service chaud.

Verser la sauce sur les entrecôtes.

Garnir de persil haché.

120

Steak Boston, à la chinoise

(pour 2 personnes)

---

2 STEAKS BOSTON, ENTRECÔTES OU FILETS MIGNONS
    DE 7 ONCES CHACUN
3 C. À SOUPE DE BEURRE
   SEL
   POIVRE DU MOULIN
1 PETIT OIGNON ÉMINCÉ
½ PIMENT VERT ÉMINCÉ (EN ENLEVER LES SEMENCES)
12 CHAMPIGNONS ÉMINCÉS
1 GOUSSE D'AIL ÉCRASÉE ET HACHÉE FIN
1 TOMATE EN QUARTIERS

Couper le bœuf en tranches minces, en biais.

Dans une sauteuse, faire fondre 2 c. à soupe de beurre, à feu vif. Aussitôt que l'écume disparaît, ajouter le bœuf.

Réduire à feu moyen et faire cuire 3 minutes de chaque côté, sans couvercle.

Saler et poivrer. Mettre le bœuf de côté sur un plat chaud.

Faire fondre 1 c. à soupe de beurre dans la sauteuse.

A l'apparition d'écume, ajouter l'oignon et faire cuire une minute, sans couvercle.

Ajouter le piment vert et faire cuire une minute, en remuant à l'occasion.

Ajouter les champignons et l'ail et faire cuire 3 minutes, en remuant à l'occasion.

Ajouter les quartiers de tomate et faire cuire 1 à 2 minutes.

Saler et poivrer.

Mélanger le bœuf et le jus du bœuf aux légumes.

Disposer sur un nid de riz.

Servir immédiatement.

121

Entrecôte au poivre

(pour 2 personnes)

---

2 ENTRECÔTES DÉSOSSÉES, DE 10 ONCES CHACUNE
1 C. À SOUPE DE GRAINS DE POIVRE ÉCRASÉS
1 C. À SOUPE DE BEURRE CLARIFIÉ
3 C. À SOUPE DE COGNAC
½ T. DE SAUCE BRUNE LÉGÈRE, CHAUDE (RECETTE 28),
    OU ½ T. DE JUS DE RÔTI DE BOEUF
½ T. DE CRÈME ÉPAISSE (35%)
    SEL
    POIVRE DU MOULIN
1 C. À THÉ DE PERSIL FRAIS HACHÉ FIN

Presser les grains de poivre écrasés dans les entrecôtes.

Faire fondre le beurre clarifié dans une sauteuse épaisse, à feu vif.

Lorsque le beurre est chaud, ajouter les entrecôtes.

Réduire à feu moyen et faire cuire les entrecôtes:

     5 minutes de chaque côté: *médium-saignant*

     6 minutes de chaque côté: *médium*

     7 minutes de chaque côté: *bien cuit*

Retirer la sauteuse du feu et laisser reposer quelques minutes.

Verser le cognac sur les entrecôtes et faire flamber le cognac. Dès que la flamme meurt, disposer les entrecôtes sur un plat de service chaud.

Verser la sauce (ou le jus de rôti) dans la sauteuse.

Porter le liquide au point d'ébullition, à feu vif.

Réduire à feu moyen, ajouter la crème et laisser mijoter 2 à 3 minutes.

Saler et poivrer la sauce.

Verser le jus des entrecôtes dans la sauce.

Garnir de persil frais.

122

Entrecôte à la Halna

(pour 4 personnes)

---

4 ENTRECÔTES DE 12 ONCES CHACUNE
1½ C. À SOUPE DE GRAINS DE POIVRE ÉCRASÉS
3 ONCES DE BEURRE CLARIFIÉ
3 ONCES DE COGNAC
   SEL
2 C. À SOUPE DE BEURRE
2 ÉCHALOTES SÈCHES HACHÉES FIN

Presser les grains de poivre écrasés dans les entrecôtes.

Faire fondre le beurre clarifié dans une sauteuse épaisse, à feu vif.

Lorsque le beurre est chaud, ajouter les entrecôtes.

Réduire à feu moyen et faire cuire les entrecôtes:

   5 minutes de chaque côté: *médium-saignant*
   6 minutes de chaque côté: *médium*
   7 minutes de chaque côté: *bien cuit*

Retirer la sauteuse du feu et laisser reposer quelques minutes.

Verser le cognac sur les entrecôtes et faire flamber le cognac.

Dès que la flamme meurt, disposer les entrecôtes sur un plat de service chaud. Saler les entrecôtes.

Faire fondre le beurre frais dans la sauteuse.

Ajouter les échalotes sèches et faire cuire une minute, à feu moyen.

Verser la sauce sur les entrecôtes.

123

Boeuf stroganoff

(pour 4 personnes)

1½ LB DE RONDE COUPÉE EN TRANCHES MINCES,
    EN BIAIS
6 C. À SOUPE DE BEURRE CLARIFIÉ
2 PETITS OIGNONS ÉMINCÉS
½ LB DE CHAMPIGNONS ÉMINCÉS
1 C. À THÉ DE PAPRIKA
¾ C. À THÉ DE PURÉE DE TOMATE
4 C. À SOUPE DE SAUCE BRUNE LÉGÈRE, CHAUDE
    (RECETTE 28), OU
    4 C. À SOUPE DE JUS DE RÔTI DE BOEUF
½ T. DE CRÈME SURE
    SEL
    POIVRE DU MOULIN
    JUS DE ½ CITRON
1 PETITE PINCÉE DE POIVRE DE CAYENNE
1 C. À SOUPE DE PERSIL FRAIS HACHÉ FIN

Dans une sauteuse, faire fondre 3 c. à soupe de beurre clarifié, à feu vif.

Lorsque le beurre est chaud, ajouter les oignons, réduire à feu doux, couvrir et laisser cuire 8 à 10 minutes, en remuant à l'occasion. Ajouter les champignons et faire cuire 5 minutes, sans couvercle, en remuant à l'occasion.

Ajouter le paprika, la sauce (ou le jus de rôti), la purée de tomate et la crème sure. Saler et poivrer.

Retirer la sauteuse du feu.

Dans une deuxième sauteuse, faire fondre les 3 dernières c. à soupe de beurre clarifié, à feu vif.

Lorsque le beurre est chaud, ajouter le bœuf et faire cuire 3 minutes, à feu vif.

Saler et poivrer le bœuf; ajouter le bœuf à la sauce.

Mélanger le jus de citron et le poivre de Cayenne à la sauce.

Garnir de persil frais.

Accompagner de nouilles.

124

Plat de côtes (haut de côtes) braisées

(pour 4 personnes)

2½ LB DE PLAT DE CÔTES (HAUT DE CÔTES)
  MARINADE (RECETTE 1)
 8 ONCES DE LARD SALÉ MAIGRE, EN DÉS
 2 OIGNONS PELÉS, EN QUARTIERS
 1 CAROTTE, EN MORCEAUX D'UN POUCE
 1 BRANCHE DE CÉLERI EN MORCEAUX D'UN POUCE
 1 FEUILLE DE LAURIER
 1 PINCÉE DE THYM
½ C. À THÉ D'ORIGAN
 2 T. DE SAUCE BRUNE LÉGÈRE, CHAUDE (RECETTE 28)
  SEL
  POIVRE DU MOULIN

À L'AVANCE: Couvrir les côtes de marinade. Couvrir d'un papier ciré. Laisser mariner les côtes 24 heures au réfrigérateur.

Faire chauffer le four à 350 °F.

Retirer les côtes de la marinade et sécher sur des serviettes de papier.

Passer la marinade à la passoire. Verser la marinade dans une casserole.

Porter la marinade au point d'ébullition, à feu vif, et faire réduire le liquide de deux tiers.

Dans une cocotte épaisse allant au four, faire sauter le lard salé 4 minutes, à feu vif.

Ajouter les côtes et faire brunir 5 à 6 minutes de chaque côté, sans couvercle.

Ajouter les légumes et les épices et faire sauter 4 à 5 minutes.

Verser la sauce brune et la marinade réduite sur les côtes.

Saler et poivrer.

Porter la sauce au point d'ébullition, à feu vif.

Couvrir la cocotte et faire cuire les côtes 1½ heure, au four.

125

Bœuf à la bourguignonne

(pour 4 personnes)

---

3 LB DE HAUT DE CÔTES
    MARINADE (RECETTE 1)
2 C. À SOUPE D'HUILE VÉGÉTALE
1 C. À SOUPE DE BEURRE
    SEL
    POIVRE DU MOULIN
1 FEUILLE DE LAURIER
½ C. À THÉ DE CERFEUIL
¼ C. À THÉ DE THYM
½ C. À THÉ D'ESTRAGON
3 GOUSSES D'AIL ÉCRASÉES ET HACHÉES FIN
2 ÉCHALOTES SÈCHES HACHÉES FIN
4 C. À SOUPE DE FARINE
2½ T. DE FOND (BOUILLON) DE BOEUF CHAUD
    (RECETTES 15 ET 16)
8 ONCES DE LARD SALÉ MAIGRE, EN DÉS
18 PETITS OIGNONS BLANCS PELÉS
½ LB DE CHAMPIGNONS COUPÉS EN DEUX
1 C. À SOUPE DE PERSIL FRAIS HACHÉ FIN

À L'AVANCE: Parer le bœuf et le couper en cubes de 1½ pouce. Couvrir le bœuf de marinade. Couvrir d'un papier ciré. Laisser mariner le bœuf au moins 12 heures au réfrigérateur.

Faire chauffer le four à 350 °F.

Sécher le bœuf sur des serviettes de papier.

Passer la marinade à la passoire. Verser la marinade dans une casserole.

Porter la marinade au point d'ébullition, à feu vif, et faire réduire le liquide de deux tiers. Mettre de côté.

Faire chauffer l'huile et le beurre dans une cocotte épaisse allant au four, à feu vif.

Lorsque l'écume disparaît, faire brunir le bœuf, quelques cubes à la fois, à feu vif, sans couvercle.

Saler et poivrer.

Ajouter les épices, l'ail et les échalotes sèches. Réduire à feu moyen et faire cuire les épices une minute.

Ajouter la farine et faire cuire le roux 4 à 5 minutes, en remuant constamment.

Retirer la cocotte du feu.

Ajouter 1 t. de fond (bouillon) de bœuf au roux; bien mélanger avec une cuiller de bois.

Remettre la cocotte au-dessus d'un feu doux. Ajouter le reste du fond (bouillon), 1 t. à la fois, en remuant constamment.

Ajouter la marinade réduite.

Saler et poivrer.

Porter la sauce au point d'ébullition, à feu vif.

Couvrir la cocotte et faire cuire le bœuf 1 heure au four.

Faire sauter le lard salé 3 à 4 minutes, à feu vif, dans une sauteuse.

Ajouter les oignons, réduire à feu moyen et faire cuire 4 minutes, sans couvercle.

Ajouter les champignons et faire cuire 4 minutes, sans couvercle. Saler.

Ajouter au bœuf.

Couvrir la cocotte de nouveau et faire cuire ½ heure au four.

Garnir de persil et présenter le bœuf à la bourguignonne dans la cocotte.

126
Steak de flanc farci
(pour 4 personnes)

---

2 STEAKS DE FLANC DE 1 LB CHACUN
SEL
POIVRE DU MOULIN
1 T. DE FARCE (RECETTE 6)
1 C. À SOUPE D'HUILE VÉGÉTALE
2½ C. À SOUPE DE BEURRE
2 C. À SOUPE DE CAROTTES HACHÉES
2 C. À SOUPE D'OIGNONS HACHÉS
1 C. À SOUPE DE CÉLERI HACHÉ
1 FEUILLE DE LAURIER
¼ C. À THÉ DE BASILIC
1 PINCÉE DE THYM
1 GOUSSE D'AIL ÉCRASÉE ET HACHÉE FIN
3 C. À SOUPE DE FARINE
1½ T. DE FOND (BOUILLON) DE BOEUF CHAUD
(RECETTES 15 ET 16)
4 TOMATES EN QUARTIERS, OU
1½ T. DE TOMATES EN CONSERVE ÉGOUTTÉES
ET HACHÉES

Faire chauffer le four à 350 °F.

Fendre les flancs en deux dans le sens de la longueur; terminer la fente à ¼ de pouce de l'extrémité.

Ouvrir le flanc à plat sur une planche à découper.

Frapper le flanc avec le plat d'un couperet (couteau lourd à lame rectangulaire).

Saler, poivrer et emplir les flancs de farce. Rouler et ficeler les flancs.

Faire chauffer 1 c. à soupe d'huile végétale à feu vif, dans une sauteuse. Faire brunir les flancs. Placer les flancs dans une cocotte. Saler et poivrer.

• Faire fondre 2 c. à soupe de beurre dans la sauteuse à feu vif, jusqu'à l'apparition d'écume.

Ajouter les carottes, les oignons, le céleri, les épices et l'ail. Réduire à feu moyen et faire cuire 4 à 5 minutes, sans couvercle, en remuant à l'occasion.

Ajouter la farine aux légumes et faire cuire 6 minutes à feu doux, sans couvercle, en remuant constamment.

Retirer la sauteuse du feu. Ajouter 1 t. de fond (bouillon) au roux. Bien mélanger avec une cuiller de bois. Remettre la sauteuse au-dessus d'un feu doux. Ajouter le reste du fond (bouillon), bien mélanger et porter la sauce au point d'ébullition.

Dans une deuxième sauteuse, faire fondre le reste du beurre, à feu vif, jusqu'à l'apparition d'écume. Ajouter les tomates et faire cuire 1 à 2 minutes, sans couvercle, en remuant fréquemment.

Verser les tomates sur les flancs.

Saler et poivrer la sauce, verser la sauce sur les flancs, couvrir et faire cuire au four 1½ heure.

Passer la sauce à la passoire avant de servir.

127

Chou farci

(pour 4 personnes)

---

1 GROS CHOU
2 C. À SOUPE DE BEURRE
1 ÉCHALOTE SÈCHE HACHÉE FIN
1 GOUSSE D'AIL ÉCRASÉE ET HACHÉE FIN
1 C. À SOUPE DE PERSIL FRAIS HACHÉ FIN
1 OIGNON PELÉ ET HACHÉ FIN
2 POMMES PELÉES, VIDÉES ET HACHÉES FIN
1 LB DE BOEUF HACHÉ MAIGRE
  SEL
  POIVRE DU MOULIN
¼ T. DE CHAPELURE
1 OEUF BATTU
2 T. DE SAUCE TOMATE CHAUDE (RECETTE 33)

Faire chauffer le four à 375 °F.

Plonger le chou dans une marmite remplie d'eau bouillante salée. Faire blanchir le chou 4 minutes.

Rafraîchir le chou à l'eau froide au moins 4 minutes.

Retirer soigneusement 8 grandes feuilles de chou, les égoutter et les mettre de côté.

Dans une sauteuse, faire fondre le beurre à feu vif, jusqu'à l'apparition d'écume.

Réduire à feu moyen, ajouter les échalotes, l'ail, le persil, l'oignon et les pommes. Faire cuire 4 minutes, sans couvercle, en remuant à l'occasion.

Ajouter le bœuf haché et faire cuire 5 à 6 minutes, sans couvercle, en remuant à l'occasion.

Saler et poivrer.

Retirer la sauteuse du feu et ajouter la chapelure et l'œuf battu; bien mélanger.

Corriger l'assaisonnement.

Placer une quantité égale de farce sur chaque feuille de chou.

Rouler la feuille de chou autour de la farce, tout en pliant le bord de la feuille vers le milieu. Retenir la feuille à l'aide d'un cure-dent.

Disposer les feuilles de chou roulées dans un plat à gratin beurré.

Verser la sauce sur le chou.

Couvrir et faire cuire 25 minutes au four.

Retirer les cure-dents avant de servir.

128

Brochettes de boeuf

(pour 4 personnes)

1½ LB DE FILET DE BOEUF EN CUBES DE 1½ POUCE
MARINADE (RECETTE 1)
1 OIGNON ITALIEN EN MORCEAUX DE 1 POUCE
8 TRANCHES DE LARD MAIGRE FUMÉ (BACON)
COUPÉES EN TROIS

20 *TÊTES DE CHAMPIGNONS*
   SEL
   POIVRE DU MOULIN
   2 *C. À SOUPE DE BEURRE D'AIL (RECETTE 8)*

---

12 HEURES À L'AVANCE: Couvrir le bœuf de marinade. Couvrir d'un papier ciré beurré.

Laisser mariner le bœuf au moins 12 heures au réfrigérateur.

Faire alterner le bœuf, les oignons, le bacon et les têtes de champignons sur 4 brochettes.

Saler et poivrer.

Faire griller, à 6 pouces de l'élément supérieur du four, ou sur le barbecue, pendant:

   4 minutes: *médium-saignant*
   12 minutes: *bien cuit*

Badigeonner les brochettes de marinade à l'occasion.

Quelques minutes avant la fin de la cuisson, étendre ½ c. à soupe de beurre d'ail sur chaque brochette.

Terminer la cuisson et accompagner de riz.

Poulet

129

Coq au vin

(pour 4 personnes)

---

1 *POULET DE 3 LB EN 8 MORCEAUX*
1 *T. DE FARINE*
3 *C. À SOUPE DE BEURRE CLARIFIÉ*
3 *ONCES DE PORC MAIGRE, EN DÉS*
   SEL
   POIVRE DU MOULIN
2 *ONCES DE COGNAC (FACULTATIF)*
2 *ÉCHALOTES SÈCHES HACHÉES FIN*

2 GOUSSES D'AIL ÉCRASÉES ET HACHÉES FIN
1 T. DE VIN SEC, ROUGE OU BLANC
1½ T. DE SAUCE BRUNE LÉGÈRE, CHAUDE (RECETTE 28)

BOUQUET GARNI COMPOSÉ DE:

¼ C. À THÉ DE THYM
1 FEUILLE DE LAURIER
¼ C. À THÉ DE ROMARIN
¼ C. À THÉ DE BASILIC
½ C. À THÉ DE CERFEUIL
PERSIL FRAIS
CÉLERI (VOIR ÉPICES)

1 C. À SOUPE DE BEURRE
15 PETITS OIGNONS BLANCS PELÉS
½ LB DE CHAMPIGNONS EN QUARTIERS
1 C. À SOUPE DE PERSIL FRAIS HACHÉ FIN

Faire chauffer le four à 350 °F.

Nettoyer les morceaux de poulet à l'eau froide et les sécher sur des serviettes de papier. Plonger les morceaux de poulet dans la farine. Secouer légèrement pour enlever l'excès de farine.

Faire fondre le beurre clarifié dans une sauteuse à feu vif.

Lorsque le beurre est chaud, réduire à feu moyen, ajouter les morceaux de poulet et le porc, et faire brunir le poulet 8 minutes de chaque côté.

Saler et poivrer.

Placer le poulet et le porc dans une cocotte.

Porter le cognac au point d'ébullition, le verser sur le poulet et le faire flamber.

Ajouter les échalotes et l'ail à la sauteuse et faire cuire une minute, sans couvercle, en remuant constamment.

Ajouter le vin.

Faire réduire le vin de la moitié de son volume, à feu vif.

Verser le vin réduit et la sauce brune sur le poulet.

Ajouter le bouquet garni.

Saler et poivrer.

Porter le liquide de la cocotte au point d'ébullition.

Couvrir la casserole et faire cuire le coq au vin 30 minutes au four.

Faire fondre 1 c. à soupe de beurre dans la sauteuse, à feu vif, jusqu'à l'apparition d'écume. Ajouter les oignons, réduire à feu moyen et faire cuire 2 minutes, sans couvercle, en remuant à l'occasion.

Saler et poivrer.

Ajouter le contenu de la sauteuse au coq au vin.

Corriger l'assaisonnement. Couvrir de nouveau.

Remettre la cocotte au four 15 minutes.

Jeter le bouquet garni.

Garnir de persil haché.

Présenter le coq au vin dans la cocotte.

130

Poulet en casserole

(pour 4 personnes)

---

1 POULET DE 3 LB EN 8 MORCEAUX
1 T. DE FARINE
  SEL
  POIVRE DU MOULIN
3 C. À SOUPE DE BEURRE CLARIFIÉ
1 ÉCHALOTE SÈCHE HACHÉE FIN
½ LB DE CHAMPIGNONS EN QUARTIERS
1 T. DE CAROTTES EN LANIÈRES MINCES
15 PETITS OIGNONS BLANCS, PELÉS
½ T. DE FOND (BOUILLON) DE POULET
   (RECETTES 17 ET 18)
½ C. À THÉ D'ORIGAN

Faire chauffer le four à 350 °F.

Plonger les carottes dans une grosse casserole remplie d'eau bouillante salée. Faire blanchir les carottes 7 minutes.

Retirer la casserole du feu. Rafraîchir les carottes à l'eau froide au moins 4 minutes.

Egoutter et mettre de côté.

Nettoyer les morceaux de poulet à l'eau froide. Sécher le poulet sur des serviettes de papier.

Saler, poivrer et tremper les morceaux de poulet dans la farine. Secouer légèrement pour enlever l'excès de farine.

Faire fondre le beurre clarifié dans une sauteuse, à feu vif.

Lorsque le beurre est chaud, ajouter le poulet, réduire à feu moyen et faire dorer 8 minutes de chaque côté, sans couvercle.

Ajouter les légumes et faire cuire 1 à 2 minutes, sans couvercle.

Placer le poulet et les légumes dans une cocotte.

Verser le fond (bouillon) de poulet et l'origan sur le poulet. Saler et poivrer.

Couvrir et faire cuire 45 minutes au four.

Corriger l'assaisonnement.

Présenter le poulet dans la cocotte.

131

Poulet Kiev

(pour 4 personnes)

---

2 GROSSES POITRINES DE POULET
SEL
POIVRE DU MOULIN
½ T. DE BEURRE D'AIL CONGELÉ (RECETTE 8)
3 OEUFS
1 C. À SOUPE D'HUILE VÉGÉTALE
1 T. DE FARINE
2 T. DE CHAPELURE
HUILE D'ARACHIDE, DANS UNE FRITEUSE, À 325 °F

Désosser et parer les poitrines de poulet et les nettoyer à l'eau froide.

Trancher chaque poitrine de poulet en deux, dans le sens de la longueur.

Une par une, placer chaque tranche de poulet entre 2 feuilles de papier d'aluminium et l'aplatir avec le plat d'un couperet (couteau lourd à lame rectangulaire).

Saler et poivrer le poulet.

Placer 1 c. à soupe de beurre d'ail à une extrémité de chaque morceau de poulet.

Rouler le morceau de poulet autour du beurre d'ail, tout en pliant le bord vers le milieu.

Retenir à l'aide d'un cure-dent.

Battre les œufs et l'huile végétale.

Plonger les morceaux de poulet, un à la fois, dans la farine, dans les œufs battus et ensuite dans la chapelure.

Plonger les morceaux de poulet soigneusement dans l'huile d'arachide et faire cuire jusqu'à ce qu'ils soient dorés.

Accompagner de sauce tomate (recette 33).

132

Poulet à l'arlésienne

(pour 4 personnes)

---

1 POULET DE 3 LB EN 8 MORCEAUX
1 T. DE FARINE
  SEL
  POIVRE DU MOULIN
2 C. À SOUPE D'HUILE VÉGÉTALE
1 OIGNON PELÉ ET ÉMINCÉ
1 GOUSSE D'AIL ÉCRASÉE ET HACHÉE FIN
½ C. À THÉ D'ESTRAGON
½ T. DE VIN BLANC SEC
3 TOMATES PELÉES, EN QUARTIERS
½ PETITE AUBERGINE PELÉE ET ÉMINCÉE

Faire chauffer le four à 350 °F.

Nettoyer les morceaux de poulet à l'eau froide.

Egoutter sur des serviettes de papier; bien sécher.

Saler et poivrer le poulet; plonger le poulet dans la farine.

Secouer légèrement pour enlever l'excès de farine.

Faire chauffer l'huile dans une sauteuse allant au four, à feu vif.

Ajouter le poulet et faire dorer 8 minutes de chaque côté.

Ajouter les oignons, l'ail et l'estragon, et faire cuire 2 minutes, sans couvercle.

Verser le vin sur le poulet.

Faire réduire le vin de la moitié de son volume, à feu vif.

Ajouter les tomates et l'aubergine.

Saler et poivrer.

Couvrir et placer au four 45 minutes.

133

Poulet à la Nouvelle-Orléans

(pour 4 personnes)

---

1 POULET DE 3 LB EN 8 MORCEAUX
SEL
POIVRE DU MOULIN
3 OEUFS
1 C. À SOUPE D'HUILE VÉGÉTALE
1½ T. DE FARINE
1½ T. DE CHAPELURE
2 BANANES
HUILE D'ARACHIDE DANS UNE FRITEUSE, À 325 °F

Faire chauffer le four à 400 °F.

Nettoyer le poulet à l'eau froide.

Sécher le poulet sur des serviettes de papier.

Battre les œufs et l'huile dans un bol.

Saler et poivrer le poulet.

Plonger chaque morceau de poulet dans la farine, dans les œufs et ensuite dans la chapelure.

Faire frire le poulet jusqu'à ce qu'il soit brun doré.

Egoutter le poulet sur des serviettes de papier.

Placer le poulet dans un plat à gratin et terminer la cuisson au four, 8 à 10 minutes.

Peler les bananes, les trancher en deux dans le sens de la longueur, et couper chaque moitié en deux.

Plonger chaque morceau de banane dans la farine, dans les œufs battus et ensuite dans la chapelure.

Faire frire les bananes jusqu'à ce qu'elles soient dorées.

Disposer le poulet et les bananes sur un plat de service chaud.
Servir immédiatement.

134
Poulet de tous les jours

1 POULET DE 3 LB EN 8 MORCEAUX
1 T. DE FARINE
   SEL
   POIVRE DU MOULIN
3 C. À SOUPE DE BEURRE CLARIFIÉ
1 OIGNON EN DÉS
1 PIMENT VERT EN DÉS
1 PINCÉE DE THYM
1 GOUSSE D'AIL ÉCRASÉE ET HACHÉE FIN
4 TOMATES PELÉES, EN QUARTIERS

Nettoyer les morceaux de poulet à l'eau froide.

Egoutter sur des serviettes de papier; bien sécher.

Plonger le poulet dans la farine.

Secouer légèrement pour enlever l'excès de farine.
Saler et poivrer.

Faire fondre le beurre clarifié dans une sauteuse, à feu vif.

Lorsque le beurre est chaud, ajouter le poulet et faire dorer 8 minutes de chaque côté.

Ajouter le reste des ingrédients, saler et poivrer.

Couvrir et faire cuire 30 minutes à feu très doux.

Remuer à l'occasion.

135

Poulet à la Point

(pour 4 personnes)

```
    1 POULET DE 3 LB
      SEL
      POIVRE BLANC DU MOULIN
    5 C. À SOUPE DE BEURRE DOUX (BEURRE NON SALÉ)
   ¼ T. DE COGNAC
   ½ T. DE PORTO
  1½ T. DE CRÈME ÉPAISSE (35%)
    1 C. À THÉ D'ESTRAGON
    1 C. À SOUPE DE BEURRE MANIÉ (RECETTE 12)
    1 C. À SOUPE DE PERSIL FRAIS HACHÉ FIN
```

Faire chauffer le four à 300 °F.

Bien nettoyer le poulet à l'eau froide.

Sécher l'intérieur et l'extérieur du poulet avec des serviettes de papier.

Saler et poivrer l'intérieur et l'extérieur du poulet.

Faire fondre le beurre à feu doux, dans une cocotte allant au four.

Aussitôt que le beurre est fondu, placer le poulet dans la cocotte, couvrir et faire cuire au four 1 ½ heure.

Le poulet est cuit lorsqu'il devient presque blanc.

Placer le poulet sur une planche à découper.

Retirer le gras de la cocotte et conserver le jus du poulet.

Placer la casserole sur un feu vif et verser le cognac sur le contenu de la cocotte. Faire flamber le cognac.

Ajouter le porto et faire réduire le liquide 2 minutes à feu vif.

Ajouter la crème, l'estragon, saler et poivrer.

Porter le liquide au point d'ébullition.

Faire cuire 2 minutes.

Incorporer le beurre manié au liquide en fouettant.

Découper le poulet et disposer les tranches sur un plat de service chaud.

Verser le jus du poulet dans la sauce.

Verser la sauce sur le poulet.

Garnir de persil frais.

136

Poulet rôti

(pour 4 personnes)

---

1 POULET DE 3 LB
SEL
POIVRE DU MOULIN
4 C. À SOUPE DE BEURRE À LA TEMPÉRATURE
   DE LA PIÈCE
2 C. À SOUPE DE CAROTTES EN DÉS
2 C. À SOUPE D'OIGNONS EN DÉS
1 C. À SOUPE DE CÉLERI EN DÉS
½ C. À THÉ DE CERFEUIL
½ C. À THÉ DE PERSIL FRAIS HACHÉ FIN
1½ T. DE FOND (BOUILLON) DE POULET
   (RECETTES 17 ET 18)

Faire chauffer le four à 400 °F.

Nettoyer le poulet à l'eau froide.

Sécher l'intérieur et l'extérieur du poulet avec des serviettes de papier.

Saler et poivrer l'intérieur du poulet.

Placer 1 c. à soupe de beurre à l'intérieur du poulet.

Brider le poulet.

Etendre le reste du beurre sur le poulet, saler et poivrer.

Placer le poulet sur un gril, dans un plat à rôtir.

Faire cuire le poulet 15 à 20 minutes au four.

Réduire la température du four à 350 °F. Badigeonner le poulet à l'occasion.

Faire rôtir le poulet 60 à 70 minutes et placer le poulet sur un plat de service chaud.

Ajouter les légumes et le cerfeuil au plat à rôtir et faire cuire 3 minutes à feu moyen, sans couvercle.

Ajouter le fond (bouillon) de poulet aux légumes, saler et poivrer.

Verser le contenu du plat à rôtir dans une casserole moyenne.

Porter la sauce au point d'ébullition et faire réduire le liquide 4 à 5 minutes à feu vif.

Passer la sauce à la passoire.

Enlever le gras à l'aide d'une écumoire.

Verser la sauce dans une saucière.

Canard

137

Canard à la Stanley Park

(pour 2 personnes)

1 CANARD BROME OU LONG ISLAND, DE 3 LB
7 ORANGES
2 CITRONS
  SEL
  POIVRE DU MOULIN
2 C. À SOUPE DE CAROTTES EN DÉS
2 C. À SOUPE D'OIGNONS EN DÉS
1 C. À SOUPE DE CÉLERI EN DÉS
1 FEUILLE DE LAURIER
1 PINCÉE DE THYM

¼ C. À THÉ DE BASILIC
2 T. DE VIN ROUGE SEC
2 T. DE SAUCE BRUNE LÉGÈRE, CHAUDE (RECETTE 28)
½ T. DE SUCRE
3 C. À SOUPE DE VINAIGRE BLANC
½ T. DE CURAÇAO
1 C. À THÉ DE FÉCULE DE MAÏS

Faire chauffer le four à 425 °F.

Enlever l'excès de gras du canard.

Bien nettoyer le canard à l'eau froide.

Sécher l'intérieur et l'extérieur du canard avec des serviettes de papier.

Frotter l'extérieur du canard avec quatre moitiés d'oranges.

Jeter ces oranges.

Saler et poivrer l'intérieur du canard.

Placer quatre quartiers de citron et quatre quartiers d'orange à l'intérieur du canard.

Brider le canard.

Placer le canard sur un gril, dans un plat à rôtir.

Faire dorer le canard 30 minutes au four.

Verser le jus d'une orange sur le canard.

Réduire la température du four à 350 °F et faire cuire le canard 2 heures.

Percer la cuisse du canard. Si aucune trace de sang n'est apparente, le canard est cuit.

Placer le canard sur un plat chaud.

Jeter les deux tiers du gras du plat à rôtir.

Placer le plat à rôtir sur un feu moyen.

Ajouter les légumes et les épices au gras du plat à rôtir et faire cuire 5 minutes, sans couvercle.

Ajouter le vin rouge aux légumes et faire réduire le liquide de deux tiers, à feu vif.

Ajouter la sauce brune, saler et poivrer.

Porter la sauce au point d'ébullition et laisser mijoter 2 minutes à feu doux.

Faire chauffer le sucre et le vinaigre blanc dans une petite casserole, à feu vif, et porter au point d'ébullition.

Réduire à feu moyen.

Aussitôt que le mélange devient brun foncé, retirer la casserole du feu.

Ajouter le jus de deux oranges et remettre la casserole sur le feu.

Lorsque le mélange devient liquide, le verser dans la sauce brune.

Passer la sauce à la passoire.

Faire dissoudre la fécule de maïs dans le curaçao et incorporer ce mélange à la sauce.

Zester une orange et un citron.

Plonger le zeste dans une casserole remplie d'eau bouillante et faire blanchir 3 à 4 minutes.

Egoutter le zeste sur des serviettes de papier.

Découper le canard et disposer les morceaux sur un plat de service chaud.

Verser le jus du canard dans la sauce.

Verser la sauce sur le canard.

Garnir de zeste de citron et d'orange blanchi.

Agneau

138

Shish Kebabs (Brochettes d'agneau)

(pour 4 personnes)

1½ LB DE LONGE D'AGNEAU, EN CUBES DE 1½ POUCE
    MARINADE (RECETTE 3)
8 FEUILLES DE LAURIER
2 GROS OIGNONS EN QUARTIERS
½ LB DE TOMATES MINIATURES
    (DITES « CHERRY TOMATOES »)
20 TÊTES DE CHAMPIGNONS

8 HEURES À L'AVANCE: Couvrir les cubes d'agneau de marinade. Couvrir d'un papier ciré. Laisser mariner l'agneau 8 heures au réfrigérateur.

Faire chauffer le four à « broil ».

Egoutter les cubes d'agneau. Conserver la marinade.

Faire alterner l'agneau et le reste des ingrédients sur 4 brochettes.

Faire griller les brochettes 12 à 15 minutes, au four ou sur le barbecue.

Badigeonner de marinade à l'occasion.

Accompagner les shish kebabs de riz pilaf (recette 156).

Porc

139

Longe de porc rôtie

(pour 4 personnes)

1 *LONGE DE PORC DE 3 LB, DÉSOSSÉE**
2 *GOUSSES D'AIL PELÉES, EN 4 LANIÈRES*
  SEL
  POIVRE DU MOULIN
2 *C. À SOUPE D'HUILE VÉGÉTALE*
6 *POMMES*
1 *C. À SOUPE DE CAROTTES EN DÉS*
1 *C. À SOUPE D'OIGNONS EN DÉS*
1 *C. À SOUPE DE CÉLERI EN DÉS*
1 *PINCÉE DE THYM*
½ *C. À THÉ DE ROMARIN*
½ *T. DE FOND (BOUILLON) DE POULET CHAUD*
  (RECETTES 17 ET 18)

---

* Demander à votre boucher de désosser la longe de porc.
  Conserver les os.

Faire chauffer le four à 425 °F.

Faire des incisions dans la longe de porc à l'aide d'un couteau et insérer une lanière d'ail dans chaque incision.

Saler et poivrer.

Verser l'huile d'olive dans le plat à rôtir et le placer au four 4 à 5 minutes, jusqu'à ce que l'huile soit chaude.

Placer la longe de porc et les os dans le fond du plat à rôtir.

Faire cuire 20 minutes au four.

Réduire la température du four à 350 °F.

Durée de la cuisson: 30 minutes par livre (en incluant 20 minutes à 425 °F.)

Enlever le gras toutes les 15 minutes.

Retirer le plat à rôtir du four.

Placer la longe de porc sur une planche à découper.

Ne laisser que 2 c. à soupe de gras et les os de porc dans le plat à rôtir.

Peler, vider et couper chaque pomme en quartiers.

Ajouter les pommes, les légumes et les épices au contenu du plat à rôtir.

Faire cuire le contenu du plat à rôtir 4 à 5 minutes, sans couvercle, à feu assez élevé.

Jeter les os de porc.

Verser le fond (bouillon) de poulet dans le plat à rôtir.

Saler et poivrer.

Verser le jus de porc dans la sauce.

Enlever le gras à l'aide d'une écumoire.

Trancher le rôti et verser la sauce sur les tranches de rôti de porc.

140

Filet de porc farci

(pour 4 personnes)

---

2 FILETS DE PORC DE 1 LB CHACUN, PARÉS
SEL
POIVRE DU MOULIN

½ T. DE FARCE (RECETTE 6)
2 C. À SOUPE DE BEURRE
1 C. À SOUPE DE CAROTTES HACHÉES
1 C. À SOUPE D'OIGNONS HACHÉS
1 C. À SOUPE DE CÉLERI HACHÉ
1 PINCÉE DE THYM
¼ C. À THÉ D'ORIGAN
2 C. À SOUPE DE FARINE
2 T. DE FOND (BOUILLON) DE POULET CHAUD
   (RECETTES 17 ET 18)

Faire chauffer le four à 350 °F.

Trancher chaque filet en deux dans le sens de la longueur à une profondeur de trois quarts de l'épaisseur.

Saler, poivrer et placer la moitié de la farce dans chaque filet.

Ficeler chaque filet.

Dans un petit plat à rôtir, faire fondre le beurre à feu vif, jusqu'à ce que l'écume disparaisse.

Réduire à feu moyen et faire brunir les filets sans couvercle.

Placer les filets sur un plat chaud.

Ajouter les légumes et les épices au plat à rôtir et faire cuire 2 à 3 minutes, sans couvercle.

Ajouter la farine et faire cuire le roux 4 à 5 minutes, en remuant constamment.

Retirer le plat à rôtir du feu.

Ajouter 1 t. de fond (bouillon) de poulet au roux. Bien mélanger avec une cuiller de bois.

Remettre le plat à rôtir sur un feu doux.

Verser le reste du fond (bouillon) dans le plat à rôtir en remuant constamment.

Porter la sauce au point d'ébullition.

Placer les filets de porc dans le plat à rôtir.

Saler et poivrer.

Couvrir et faire cuire 45 minutes au four.

141

Côtes de porc à la diable

(pour 4 personnes)

---

8 CÔTES DE PORC DE 1 POUCE D'ÉPAISSEUR
2 C. À SOUPE D'HUILE VÉGÉTALE
  SEL
  POIVRE DU MOULIN
1½ T. DE SAUCE DIABLE CHAUDE (RECETTE 31)
1 GROS CORNICHON AU FENOUIL (DILL) EN
    LANIÈRES MINCES
1 C. À SOUPE DE PERSIL FRAIS HACHÉ FIN

Faire chauffer le four à 300 °F.

Parer les côtes en ne laissant qu'un peu de gras.

Placer l'huile végétale dans une sauteuse allant au four, à feu vif.

Lorsque l'huile est chaude, ajouter les côtes de porc, réduire à feu moyen et faire brunir les côtes 7 minutes de chaque côté, sans couvercle.

A l'occasion, retirer l'excès de gras de la sauteuse durant la cuisson.

Saler et poivrer les côtes de porc.

Placer la sauteuse au four pendant 5 à 6 minutes.

Retirer la sauteuse du four.

Disposer les côtes de porc sur un plat de service chaud.

Enlever le gras de la sauteuse.

Ajouter la sauce, le cornichon et le persil frais à la sauteuse.

Porter la sauce au point d'ébullition et laisser mijoter 2 minutes à feu moyen, sans couvercle.

Verser la sauce sur les côtes de porc.

Veau

142

Escalopes de veau printanière

(pour 4 personnes)

1¾ LB D'ESCALOPES DE VEAU DE ⅜ DE POUCE
    D'ÉPAISSEUR, EN CARRÉS DE 1½ POUCE
½ T. DE CAROTTES EN LANIÈRES MINCES
1 T. DE FARINE
    SEL
    POIVRE DU MOULIN
3 C. À SOUPE DE BEURRE CLARIFIÉ
12 PETITS OIGNONS BLANCS PELÉS
½ T. DE CHAMPIGNONS EN QUARTIERS
1 MARRON ÉMINCÉ
½ C. À THÉ D'ORIGAN
½ T. DE VIN BLANC SEC
½ T. DE FOND (BOUILLON) DE POULET CHAUD
    (RECETTES 17 ET 18)
1 C. À SOUPE DE PERSIL FRAIS HACHÉ FIN

Plonger les carottes dans une grosse casserole remplie d'eau bouillante salée.

Faire blanchir les carottes 7 minutes.

Rafraîchir les carottes à l'eau froide au moins 5 minutes.

Egoutter et mettre de côté.

Plonger les morceaux de veau dans la farine; secouer légèrement pour enlever l'excès de farine.

Saler et poivrer.

Faire fondre le beurre clarifié dans une sauteuse à feu vif.

Ajouter le veau et faire sauter 3 minutes de chaque côté, sans couvercle.

Placer le veau dans un plat de service chaud.

Ajouter les oignons à la sauteuse, réduire à feu moyen et faire cuire 2 minutes, sans couvercle.

Ajouter les carottes, les champignons, le marron et l'origan.

Faire cuire 2 à 3 minutes, sans couvercle, en remuant à l'occasion.

Ajouter le vin blanc et porter le liquide au point d'ébullition, à feu vif.

Faire réduire le liquide de deux tiers à feu vif.

Ajouter le fond (bouillon) de poulet et faire réduire 5 à 6 minutes.

Saler, poivrer et ajouter le persil haché.

Verser le contenu de la sauteuse sur les escalopes.

143

Côtes de veau avec coeurs d'artichauts

(pour 2 personnes)

---

4 *CÔTES DE VEAU DE 8 ONCES CHACUNE*
1 *T. DE FARINE*
 SEL
 POIVRE DU MOULIN
3 *C. À SOUPE DE BEURRE CLARIFIÉ*
4 *COEURS D'ARTICHAUTS ÉGOUTTÉS ET COUPÉS*
  EN DEUX
1 *ÉCHALOTE SÈCHE HACHÉE FIN*
½ *T. DE FOND (BOUILLON) DE POULET CHAUD*
  (RECETTES 17 ET 18)
1 *C. À THÉ DE PERSIL FRAIS HACHÉ FIN*

Plonger les côtes de veau dans la farine; secouer légèrement pour enlever l'excès de farine. Saler et poivrer.

Faire fondre le beurre clarifié dans une sauteuse à feu vif.

Lorsque le beurre est chaud, ajouter les côtes de veau, réduire à feu moyen et faire cuire 6 minutes de chaque côté, sans couvercle.

Ajouter les cœurs d'artichauts et faire cuire 2 à 3 minutes.

Saler et poivrer.

Disposer les côtes de veau et les cœurs d'artichauts dans un plat de service chaud.

Ajouter les échalotes à la sauteuse et faire cuire une minute.

Ajouter le fond (bouillon) de poulet et faire réduire le liquide à feu vif.

Ajouter le persil haché, saler et poivrer.

Verser la sauce sur les côtes de veau et les artichauts.

144

Blanquette de veau

(pour 4 personnes)

---

2 LB D'ÉPAULE DE VEAU EN CUBES DE 1½ POUCE
1 OIGNON PIQUÉ DE 2 CLOUS DE GIROFLE
2 CAROTTES PELÉES
1 POIREAU NETTOYÉ

BOUQUET GARNI COMPOSÉ DE:

½ C. À THÉ DE THYM
1 FEUILLE DE LAURIER
½ C. À THÉ D'ESTRAGON
½ C. À THÉ DE CERFEUIL
PERSIL FRAIS
CÉLERI (VOIR ÉPICES)

3 T. DE FOND (BOUILLON) DE POULET CHAUD
   (RECETTES 17 ET 18)
6 C. À SOUPE DE BEURRE
24 PETITS OIGNONS BLANCS PELÉS
½ LB DE CHAMPIGNONS EN QUARTIERS
4 C. À SOUPE DE FARINE
1 JAUNE D'OEUF
2 C. À SOUPE DE CRÈME ÉPAISSE (35%)
1 C. À SOUPE DE PERSIL FRAIS HACHÉ FIN
SEL
POIVRE DU MOULIN

Placer le veau dans une grosse casserole. Couvrir le veau d'eau froide.

Porter le liquide au point d'ébullition, à feu vif.

Ecumer et passer à la passoire.

Placer le veau dans une deuxième grosse casserole.

Ajouter l'oignon, les carottes, le poireau, le bouquet garni et le fond (bouillon) de poulet.

Saler et poivrer.

Si le liquide ne couvre pas le veau, compléter avec de l'eau.

Porter le liquide au point d'ébullition, à feu vif.

Réduire à feu moyen et laisser mijoter une heure, sans couvercle.

Faire fondre 2 c. à soupe de beurre, à feu vif, jusqu'à l'apparition d'écume.

Ajouter les oignons blancs, réduire à feu moyen et faire cuire 2 minutes, sans couvercle, en remuant à l'occasion.

Ajouter les champignons et faire cuire 2 à 3 minutes, sans couvercle, en remuant à l'occasion.

Saler et poivrer.

Ajouter les oignons et les champignons au veau et faire cuire 15 minutes.

Jeter l'oignon piqué de clous, les carottes, le poireau et le bouquet garni.

Passer à la passoire.

Placer le veau, les champignons et les oignons dans un plat chaud.

Conserver le liquide de cuisson.

Dans une casserole moyenne, épaisse, faire fondre les 4 dernières c. à soupe de beurre, à feu moyen, jusqu'à l'apparition d'écume.

Ajouter la farine et faire cuire le roux 3 minutes, sans couvercle, en remuant constamment.

Retirer la casserole du feu.

Ajouter 1 t. du liquide de cuisson au roux; bien mélanger avec une cuiller de bois.

Remettre la casserole au-dessus d'un feu doux.

Ajouter le reste du liquide de cuisson, 1 t. à la fois, en remuant constamment.

Saler et poivrer.

Mélanger le jaune d'œuf et la crème dans un petit bol.

Incorporer à la sauce à l'aide d'un fouet.

Ajouter le veau et les légumes à la sauce et réchauffer quelques minutes.

Garnir de persil haché.

145

Paupiettes de veau

(pour 4 personnes)

---

4 ESCALOPES DE VEAU DE 6 ONCES CHACUNE
SEL
POIVRE DU MOULIN
½ T. DE FARCE (RECETTE 6)
1 T. DE FARINE
3 C. À SOUPE DE BEURRE
1 C. À SOUPE DE CAROTTE HACHÉE
1 C. À SOUPE D'OIGNON HACHÉ
1 C. À SOUPE DE CÉLERI HACHÉ
¼ C. À THÉ D'ORIGAN
1½ T. DE SAUCE TOMATE CHAUDE (RECETTE 33)

Faire chauffer le four à 300 °F.

Une par une, placer chaque escalope entre 2 feuilles de papier d'aluminium et l'aplatir avec le plat d'un couperet (couteau lourd à lame rectangulaire).

Saler, poivrer et placer 2 c. à soupe de farce sur chaque escalope. Rouler l'escalope autour de la farce tout en pliant le bord vers le milieu.

Ficeler.

Saler, poivrer et rouler les paupiettes dans la farine; secouer légèrement pour enlever l'excès de farine.

Faire fondre le beurre dans une sauteuse allant au four, à feu vif, jusqu'à l'apparition d'écume.

Réduire à feu moyen et faire brunir les paupiettes.

Saler et poivrer.

Ajouter la carotte, l'oignon, le céleri et l'origan, et faire cuire 3 minutes, sans couvercle.

Ajouter la sauce tomate.

Porter la sauce au point d'ébullition, couvrir et faire cuire au four 15 minutes.

Accompagner de riz.

146

Croquettes de veau

(pour 4 personnes)

---

1 LB DE RESTE DE VEAU CUIT HACHÉ*
1 C. À SOUPE DE BEURRE
2 ÉCHALOTES SÈCHES HACHÉES FIN
½ T. DE CHAMPIGNONS HACHÉS FIN
 SEL
 POIVRE
1 PINCÉE DE MUSCADE
1 T. DE BÉCHAMEL ÉPAISSE CHAUDE (RECETTE 25)
1 T. DE FARINE
3 OEUFS BATTUS
1 T. DE CHAPELURE

HUILE D'ARACHIDE, DANS UNE FRITEUSE, À 325 °F

À L'AVANCE: Faire fondre le beurre dans une sauteuse, à feu vif, jusqu'à l'apparition d'écume.

Ajouter les échalotes, réduire à feu moyen et faire cuire une minute, sans couvercle.

Ajouter les champignons et faire cuire 3 à 4 minutes, sans couvercle, en remuant à l'occasion.

Ajouter le veau et faire cuire 2 minutes.

Saler et poivrer.

Ajouter la muscade et la béchamel; corriger l'assaisonnement.

Etendre le mélange dans un plat à rôtir beurré; couvrir d'un papier ciré beurré.

Placer au réfrigérateur jusqu'au lendemain.

* On peut aussi préparer les croquettes avec des restes de poulet, dinde ou boeuf.

Former un cylindre avec 3 c. à soupe du mélange.

Plonger chaque croquette dans la farine, dans les œufs battus et ensuite dans la chapelure.

Faire frire les croquettes, 2 ou 3 à la fois, jusqu'à ce qu'elles soient dorées.

Egoutter sur des serviettes de papier.

Abattis

147

Préparation: ris de veau

Les ris frais devraient être nettoyés à l'eau froide jusqu'à ce qu'ils deviennent blancs.

Plonger les ris dans une marmite remplie d'eau froide additionnée de 2 c. à soupe de vinaigre blanc.

Porter le liquide au point d'ébullition, à feu moyen.

Laisser mijoter 8 minutes, sans couvercle.

Rafraîchir les ris à l'eau froide au moins 5 à 6 minutes.

Retirer les ris de l'eau, égoutter et parer.

Presser les ris 2 à 3 heures entre deux poids.

148

Ris de veau braisés

(pour 4 personnes)

1½ *LB DE RIS DE VEAU*
SEL
POIVRE DU MOULIN

1 T. DE FARINE
4 C. À SOUPE DE BEURRE
2 C. À SOUPE D'OIGNON HACHÉ
2 C. À SOUPE DE CAROTTE HACHÉE
1 C. À SOUPE DE CÉLERI HACHÉ
¼ C. À THÉ DE CERFEUIL
1 PINCÉE DE THYM
½ LB DE CHAMPIGNONS EN QUARTIERS
½ T. DE VIN BLANC SEC
1 T. DE FOND (BOUILLON) DE POULET CHAUD
(RECETTES 17 ET 18)

À L'AVANCE: Effectuer la préparation des ris de veau décrite à la recette 147.

Faire chauffer le four à 350 °F.

Couper les ris de veau en 2 ou 3 tranches, en biais.

Saler et poivrer.

Plonger chaque tranche dans la farine. Secouer légèrement pour enlever l'excès de farine.

Faire fondre 3 c. à soupe de beurre dans une sauteuse allant au four, à feu vif, jusqu'à l'apparition d'écume.

Réduire à feu moyen et faire cuire les ris de veau 2 à 3 minutes de chaque côté, sans couvercle.

Placer les ris de veau sur un plat chaud. Saler et poivrer.

Ajouter la carotte, l'oignon, le céleri et les épices à la sauteuse.

Faire cuire les légumes 3 minutes à feu moyen, sans couvercle, en remuant à l'occasion.

Saler et poivrer.

Verser le vin blanc sur les légumes et faire réduire le liquide 3 à 4 minutes, à feu vif.

Ajouter le fond de poulet et les ris de veau. Porter le liquide au point d'ébullition.

Couvrir d'un papier d'aluminium et faire cuire les ris de veau 20 minutes au four.

Faire fondre le reste du beurre dans une sauteuse, à feu vif.

Ajouter les champignons, réduire à feu moyen et faire cuire 4 minutes, sans couvercle.

Ajouter les champignons aux ris de veau.

Couvrir de nouveau et faire cuire 10 minutes au four.

Placer les ris de veau et les champignons dans un plat chaud.

Faire réduire la sauce 3 à 4 minutes, à feu vif.

Corriger l'assaisonnement.

Verser la sauce sur les ris de veau et les champignons.

149

Ris de veau
avec sauce béarnaise et cresson

(pour 4 personnes)

1½ LB DE RIS DE VEAU
½ T. DE BEURRE CLARIFIÉ FONDU (RECETTE 13)
SEL
POIVRE DU MOULIN
CRESSON FRAIS
1 T. DE SAUCE BÉARNAISE (RECETTE 34)

À L'AVANCE: Effectuer la préparation des ris de veau décrite à la recette 147.

Faire chauffer le four à 350 °F.

Plonger les ris de veau dans le beurre clarifié fondu.

Disposer les ris de veau dans un plat à rôtir.

Saler, poivrer et placer les ris de veau au four; faire cuire 35 minutes.

Badigeonner fréquemment de beurre clarifié.

Disposer les ris de veau dans un plat de service chaud.

Garnir de cresson frais.

Accompagner les ris de veau de sauce béarnaise.

150

Rognons de veau au madère

(pour 4 personnes)

---

    3 ROGNONS DE VEAU ÉPLUCHÉS ET PARÉS
    2 C. À SOUPE DE BEURRE CLARIFIÉ
      SEL
      POIVRE DU MOULIN
    ½ LB DE CHAMPIGNONS EN QUARTIERS
    1 ÉCHALOTE SÈCHE HACHÉE FIN
    1 T. DE SAUCE BRUNE LÉGÈRE (RECETTE 28)
    ½ T. DE MADÈRE
    1 PETITE PINCÉE DE POIVRE DE CAYENNE
    1 C. À SOUPE DE CRÈME ÉPAISSE (35%)
    1 C. À SOUPE DE PERSIL FRAIS HACHÉ FIN

Couper les rognons en tranches minces.

Faire fondre le beurre clarifié dans une sauteuse, à feu vif.

Ajouter les tranches de rognon et faire sauter 3 à 4 minutes de chaque côté.

Saler, poivrer et disposer les tranches de rognon dans un plat chaud.

Ajouter les champignons et l'échalote à la sauteuse et faire cuire 4 minutes, sans couvercle, à feu vif, en remuant fréquemment.

Ajouter la sauce brune et le madère.

Porter la sauce au point d'ébullition, réduire à feu moyen et laisser mijoter quelques minutes.

Saler, poivrer et ajouter le poivre de Cayenne à la sauce.

Ajouter les tranches de rognon et la crème à la sauce.

Garnir de persil frais.

151
Préparation: Cervelle de veau

Dans une marmite, préparer un court-bouillon compôsé de:

10 T. D'EAU
3 C. À SOUPE DE VINAIGRE BLANC
1 C. À THÉ DE SEL
20 GRAINS DE POIVRE
2 FEUILLES DE LAURIER
½ C. À THÉ DE THYM
½ T. DE CAROTTES ÉMINCÉES
¼ T. D'OIGNONS ÉMINCÉS
2 CLOUS DE GIROFLE

Porter le liquide au point d'ébullition et laisser mijoter 1½ heure.

Eplucher soigneusement les cervelles de veau.

Plonger soigneusement les cervelles de veau dans le court-bouillon et laisser mijoter 10 minutes à feu doux.

Rafraîchir les cervelles de veau au moins 5 à 6 minutes à l'eau froide.

Egoutter les cervelles de veau.

152

Cervelle de veau aux câpres
(pour 4 personnes)

4 CERVELLES DE VEAU DE 8 ONCES CHACUNE,
TRANCHÉES EN DEUX
SEL
POIVRE DU MOULIN
2½ C. À SOUPE DE BEURRE CLARIFIÉ
2 C. À SOUPE DE BEURRE
1 C. À SOUPE DE CÂPRES
1 C. À SOUPE DE PERSIL FRAIS HACHÉ FIN
JUS DE ½ CITRON

À L'AVANCE: Effectuer la préparation des cervelles de veau décrite à la recette 151.

Saler et poivrer les cervelles de veau.

Faire fondre le beurre clarifié dans une sauteuse, à feu vif.

Ajouter les cervelles de veau, réduire à feu moyen et faire cuire 4 minutes de chaque côté, sans couvercle.

Disposer les cervelles de veau sur un plat de service chaud.

Jeter le gras de la sauteuse.

Faire fondre le beurre frais dans la sauteuse, à feu moyen.

A l'apparition d'écume, ajouter les câpres et le persil et faire cuire une minute.

Verser le jus de citron dans la sauteuse; saler et poivrer.

Verser la sauce sur les cervelles de veau.

153

Foie de veau à l'anglaise

(pour 4 personnes)

1¾ LB DE FOIE DE VEAU
1 T. DE FARINE
SEL
POIVRE DU MOULIN
2 C. À SOUPE DE BEURRE
1 C. À SOUPE D'HUILE VÉGÉTALE
JUS DE ¼ DE CITRON
1 C. À SOUPE DE PERSIL FRAIS HACHÉ FIN

Eplucher le foie et le trancher mince, en biais.

Plonger le foie dans la farine; secouer légèrement pour enlever l'excès de farine.

Saler et poivrer.

Faire chauffer le beurre et l'huile dans une sauteuse, à feu assez doux.

Aussitôt que le beurre est fondu, ajouter le foie de veau et faire cuire:

4 minutes de chaque côté: *médium*

6 minutes de chaque côté: *bien cuit*

Mouiller le foie de veau de quelques gouttes de citron.

Garnir de persil frais; servir immédiatement.

154

Foie de veau Bergerac

(pour 4 personnes)

1¾ LB DE FOIE DE VEAU

1 T. DE FARINE

   SEL

   POIVRE DU MOULIN

2 C. À SOUPE DE BEURRE

1 C. À SOUPE D'HUILE VÉGÉTALE

4 C. À THÉ DE BEURRE D'ÉCHALOTE (RECETTE 9)

   JUS DE ¼ DE CITRON

1 C. À SOUPE DE PERSIL FRAIS HACHÉ FIN

Faire chauffer le four à « broil ».

Eplucher le foie et le trancher mince, en biais.

Plonger le foie dans la farine; secouer légèrement pour enlever l'excès de farine.

Saler et poivrer.

Faire chauffer l'huile et le beurre dans une sauteuse, à feu assez doux.

Aussitôt que le beurre est fondu, ajouter le foie et faire cuire:

3 minutes de chaque côté: *médium*

5 minutes de chaque côté: *bien cuit*

Disposer le foie dans un plat à gratin.

Parsemer de petits morceaux de beurre d'échalote.

Faire griller le foie à 6 pouces de l'élément supérieur du four, jusqu'à ce que le beurre fonde.

Mouiller le foie de quelques gouttes de citron.

Garnir de persil frais; servir immédiatement.

Brochettes de foie de veau

(pour 4 personnes)

1½ LB DE FOIE DE VEAU
1 C. À SOUPE DE BEURRE
16 TÊTES DE CHAMPIGNONS
4 TRANCHES DE LARD MAIGRE FUMÉ (BACON)
   COUPÉES EN QUATRE
¼ T. DE BEURRE CLARIFIÉ (RECETTE 13)
   SEL
   POIVRE DU MOULIN
½ T. DE CHAPELURE
   BRANCHES DE PERSIL, OU CRESSON FRAIS

Faire chauffer le four à « broil ».

Eplucher le foie de veau et le découper en carrés de 2 pouces.

Faire fondre le beurre frais dans une sauteuse, à feu vif, jusqu'à l'apparition d'écume.

Ajouter le foie et les têtes de champignons, réduire à feu moyen et faire cuire 2 à 3 minutes, sans couvercle.

Egoutter les têtes de champignons et le foie sur des serviettes de papier.

Faire alterner le foie, les têtes de champignons et le bacon sur 4 brochettes.

Badigeonner les brochettes de beurre clarifié fondu.

Saler et poivrer.

Rouler les brochettes dans la chapelure.

Faire griller les brochettes à 6 pouces de l'élément supérieur du four, 3 à 4 minutes de chaque côté.

Garnir les brochettes de branches de persil ou de cresson frais.

Accompagner de riz.

Riz

156

Riz pilaf
(ou pilaw)

(pour 4 personnes)

1 T. DE RIZ À LONGS GRAINS
1 C. À SOUPE DE BEURRE
1 C. À SOUPE D'OIGNON HACHÉ FIN
1½ T. DE FOND (BOUILLON) DE POULET LÉGER, CHAUD
   (RECETTES 17 ET 18)
½ C. À THÉ DE CERFEUIL
1 PINCÉE DE THYM
1 FEUILLE DE LAURIER
  SEL
  POIVRE DU MOULIN

Faire chauffer le four à 350 °F.

Placer le riz dans une passoire et le rincer à l'eau froide quelques minutes.

Egoutter et mettre de côté.

Dans une cocotte épaisse, faire fondre le beurre à feu moyen, jusqu'à l'apparition d'écume.

Ajouter l'oignon haché et faire cuire 2 à 3 minutes, sans couvercle, en remuant fréquemment.

Ajouter le riz et faire cuire 2 à 3 minutes, sans couvercle, en remuant fréquemment. Ne pas laisser brunir.

Ajouter le fond (bouillon) de poulet, les épices, saler et poivrer.

Porter le liquide au point d'ébullition, à feu vif.

Couvrir la cocotte et faire cuire le riz au four, 18 à 20 minutes.

Mélanger le riz avec une fourchette.

Riz à l'égyptienne

(pour 6 personnes)

---

1 T. DE RIZ À LONGS GRAINS
1 C. À SOUPE DE BEURRE
1 C. À SOUPE D'OIGNON HACHÉ FIN
1½ T. DE FOND (BOUILLON) DE POULET LÉGER, CHAUD
    (RECETTES 17 ET 18)
½ C. À THÉ DE CERFEUIL
1 PINCÉE DE THYM
1 FEUILLE DE LAURIER
  SEL
  POIVRE DU MOULIN
2 C. À SOUPE D'HUILE VÉGÉTALE
⅓ T. DE FOIE DE POULET, EN DÉS
⅓ T. DE JAMBON CUIT, EN DÉS
⅓ T. DE CHAMPIGNONS ÉMINCÉS

Faire chauffer le four à 350 °F.

Placer le riz dans une passoire et le rincer à l'eau froide quelques minutes.

Egoutter et mettre de côté.

Dans une cocotte épaisse, faire fondre le beurre à feu moyen, jusqu'à l'apparition d'écume.

Ajouter l'oignon haché et faire cuire 2 à 3 minutes, sans couvercle, en remuant fréquemment.

Ajouter le riz et faire cuire 2 à 3 minutes, sans couvercle, en remuant fréquemment. Ne pas laisser brunir.

Ajouter le fond (bouillon) de poulet, les épices, saler et poivrer.

Porter le liquide au point d'ébullition, à feu vif.

Couvrir la cocotte et faire cuire le riz 10 minutes au four.

Pendant ce temps, faire chauffer l'huile dans une sauteuse, à feu vif.

Ajouter le foie et le jambon, réduire à feu moyen et faire cuire 2 à 3 minutes, sans couvercle.

Ajouter les champignons et faire cuire 2 à 3 minutes, sans couvercle.

Saler et poivrer.

Après la cuisson de 10 minutes, mélanger le contenu de la sauteuse au riz.

Couvrir de nouveau et faire cuire le riz au four, 8 à 10 minutes.

158

Riz à la grecque

(pour 6 personnes)

---

1 T. DE RIZ À LONGS GRAINS
1 C. À SOUPE DE BEURRE
1 C. À SOUPE D'OIGNON HACHÉ FIN
1½ T. DE FOND (BOUILLON) DE POULET LÉGER, CHAUD
    (RECETTES 17 ET 18)
½ C. À THÉ DE CERFEUIL
1 PINCÉE DE THYM
1 FEUILLE DE LAURIER
  SEL
  POIVRE DU MOULIN
1 C. À SOUPE D'HUILE VÉGÉTALE
2 SAUCISSES DE PORC

Faire chauffer le four à 350 °F.

Plonger les saucisses de porc dans une casserole remplie d'eau bouillante et faire cuire 5 minutes, à feu vif, sans couvercle.

Egoutter et mettre de côté.

Placer le riz dans une passoire et le rincer à l'eau froide quelques minutes.

Egoutter et mettre de côté.

Dans une cocotte épaisse, faire fondre le beurre à feu moyen, jusqu'à l'apparition d'écume.

Ajouter l'oignon haché et faire cuire 2 à 3 minutes, sans couvercle, en remuant fréquemment.

Ajouter le riz et faire cuire 2 à 3 minutes, sans couvercle, en remuant fréquemment.

Ajouter le fond (bouillon) de poulet, les épices, saler et poivrer.

Porter le liquide au point d'ébullition, à feu vif.

Couvrir la cocotte et faire cuire le riz 10 minutes au four.

Pendant ce temps, couper les saucisses de porc en morceaux de ½ pouce.

Faire chauffer l'huile dans une sauteuse, à feu vif.

Ajouter les morceaux de saucisse de porc.

Réduire à feu moyen et faire cuire 3 à 4 minutes, sans couvercle.

Après la cuisson de 10 minutes, ajouter les saucisses de porc au riz.

Couvrir de nouveau et faire cuire le riz au four, 8 à 10 minutes.

159

Riz blanc à la chinoise

(pour 6 personnes)

---

1 T. DE RIZ
EAU FROIDE

Placer le riz dans une passoire et le rincer à l'eau froide 5 minutes.

Placer le riz dans une casserole moyenne.

Verser l'eau froide sur le riz. L'eau doit atteindre un niveau de un pouce plus élevé que la couche supérieure de riz.

Porter l'eau au point d'ébullition, à feu vif.

Couvrir, réduire à feu doux et laisser cuire 25 minutes.

Retirer la casserole du feu et laisser reposer 5 minutes.

Légumes froids et salades

160

Salade César

(pour 4 personnes)

2 LAITUES ROMAINES NETTOYÉES
1 OEUF
1 GOUSSE D'AIL PELÉE COUPÉE EN DEUX
SEL
POIVRE DU MOULIN
15 FILETS D'ANCHOIS ÉGOUTTÉS ET HACHÉS
6 C. À SOUPE DE PARMESAN RÂPÉ
2 T. DE CROÛTONS FRANÇAIS À L'AIL

VINAIGRETTE:

JUS DE 2½ CITRONS
5 À 6 C. À SOUPE D'HUILE D'OLIVE
QUELQUES GOUTTES DE SAUCE WORCESTERSHIRE, OU
½ T. DE VINAIGRETTE (RECETTE 37 OU 38)

Jeter les feuilles de laitue défraîchies.

Sécher les feuilles de laitue avec des serviettes de papier ou avec un appareil pour sécher la laitue.

Déposer l'œuf soigneusement dans une casserole remplie d'eau bouillante et laisser mijoter 30 secondes. Rafraîchir à l'eau froide.

Frotter l'intérieur du bol de service avec les morceaux d'ail.

Jeter les morceaux d'ail.

Déchiqueter les feuilles de laitue en petits morceaux, dans le bol de service.

Saler et poivrer.

Mélanger les anchois à la laitue.

Briser l'œuf sur la laitue et bien mélanger.

Ajouter les croûtons et le fromage, et bien mélanger.

Ajouter la vinaigrette; bien mélanger. Corriger l'assaisonnement.

161

Salade de tous les jours

(pour 4 personnes)

---

2 LAITUES BOSTON NETTOYÉES
2 OEUFS DURS ÉPLUCHÉS, EN QUARTIERS
6 FILETS D'ANCHOIS ÉGOUTTÉS ET HACHÉS
1 C. À SOUPE DE PERSIL FRAIS HACHÉ FIN
2 TOMATES EN QUARTIERS
2 POITRINES DE POULET CUITES, PARÉES ET
     DÉSOSSÉES, EN MORCEAUX DE 2 POUCES
  SEL
  POIVRE DU MOULIN
½ T. DE VINAIGRETTE (RECETTE 37)

Jeter les feuilles de laitue défraîchies.

Sécher les feuilles de laitue avec des serviettes de papier ou avec un appareil pour sécher la laitue.

Déchiqueter la laitue en petits morceaux.

Mélanger tous les ingrédients, sauf les trois derniers, dans un bol de service.

Saler et poivrer.

Ajouter la vinaigrette; bien mélanger.

162

Salade de pommes de terre
à ma façon

(pour 4 personnes)

---

4 POMMES DE TERRE MOYENNES, LAVÉES
1 C. À SOUPE DE CIBOULETTE FRAÎCHE HACHÉE FIN
2 C. À SOUPE DE VINAIGRE DE VIN

4 C. À SOUPE D'HUILE D'OLIVE
1 C. À SOUPE D'OIGNON HACHÉ FIN
  SEL
  POIVRE

Plonger les pommes de terre dans une grosse casserole remplie d'eau bouillante salée; faire cuire à feu vif.

Lorsque les pommes de terre sont cuites, les placer dans une grosse casserole épaisse et en sécher l'extérieur à feu moyen.

Retirer la casserole du feu et laisser reposer 15 minutes.

Peler les pommes de terre soigneusement (elles sont encore chaudes).

Découper les pommes de terre en gros cubes.

Incorporer le reste des ingrédients aux pommes de terre dans un bol.

Couvrir la salade de pommes de terre d'un papier ciré et laisser mariner au moins 4 heures au réfrigérateur.

163

Tomates en vinaigrette

(pour 4 personnes)

---

4 GROSSES TOMATES ÉMINCÉES
1 C. À SOUPE DE PERSIL FRAIS HACHÉ FIN
1 ÉCHALOTE SÈCHE HACHÉE FIN
  SEL
  POIVRE DU MOULIN
2 C. À SOUPE DE VINAIGRE DE VIN
5 C. À SOUPE D'HUILE D'OLIVE

Disposer les tomates dans un plat de service.

Mélanger le reste des ingrédients et les verser sur les tomates.

Laisser reposer une heure.

Légumes chauds

164

Haricots frais
(pour 4 personnes)

1¼ *LB D'HARICOTS NETTOYÉS ET PARÉS*
2 *C. À SOUPE DE BEURRE*
SEL
POIVRE DU MOULIN

Plonger les haricots dans une grosse casserole remplie d'eau bouillante salée.
Couvrir et faire blanchir les haricots 12 minutes.
Rafraîchir les haricots à l'eau froide au moins 4 minutes.
Egoutter.
Faire fondre le beurre dans une casserole moyenne, épaisse, à feu moyen, jusqu'à l'apparition d'écume.
Ajouter les haricots, réduire à feu doux et faire cuire 5 à 6 minutes, sans couvercle.
Saler et poivrer.

165

Chicorée (endive) braisée
(pour 4 personnes)

12 *ENDIVES BIEN NETTOYÉES*
4 *C. À SOUPE DE BEURRE*
JUS DE 1 CITRON
1 *T. DE FOND (BOUILLON) DE POULET CHAUD*
(RECETTES 17 ET 18)
SEL
POIVRE DU MOULIN
2 *C. À SOUPE D'AMANDES ÉMINCÉES*

Faire chauffer le four à 350 °F.

Plonger les endives dans une grosse casserole remplie d'eau bouillante salée. Couvrir.

Faire blanchir les endives 8 minutes, à feu vif.

Rafraîchir les endives à l'eau froide au moins 4 minutes.

Egoutter et placer les endives dans un plat à gratin beurré.

Mettre de côté 1 c. à soupe de beurre.

Parsemer les endives de petits morceaux de beurre (3 c. à soupe).

Verser le jus de citron et le fond (bouillon) de poulet sur les endives.

Saler et poivrer.

Couvrir d'un papier d'aluminium.

Faire cuire les endives 30 minutes au four.

Disposer les endives sur un plat de service chaud.

Faire réduire le liquide du plat à gratin de deux tiers, à feu vif.

Verser le liquide sur les endives.

Faire fondre le reste du beurre dans une sauteuse à feu moyen, jusqu'à l'apparition d'écume.

Ajouter les amandes et faire cuire jusqu'à ce qu'elles deviennent dorées, en remuant fréquemment.

Verser les amandes sur les endives.

166

Champignons à la provençale

(pour 4 personnes)

½ LB DE CHAMPIGNONS ÉMINCÉS
3 C. À SOUPE DE BEURRE
1 ÉCHALOTE SÈCHE HACHÉE FIN
1 GOUSSE D'AIL ÉCRASÉE ET HACHÉE FIN

1 C. À SOUPE DE PERSIL FRAIS HACHÉ FIN
SEL
POIVRE DU MOULIN

Faire fondre le beurre dans une sauteuse, à feu vif, jusqu'à l'apparition d'écume.

Ajouter les champignons, réduire à feu moyen et faire cuire 5 minutes, sans couvercle, en remuant à l'occasion.

Ajouter les échalotes, l'ail et le persil, saler et poivrer.

Faire cuire 3 minutes, sans couvercle, en remuant à l'occasion.

167

Pommes de terre duchesse

(pour 4 personnes)

---

4 GROSSES POMMES DE TERRE BROSSÉES
2 JAUNES D'OEUFS
3 C. À SOUPE DE LAIT
SEL
POIVRE BLANC DU MOULIN
MUSCADE AU GOÛT

Faire chauffer le four à « broil ».

Plonger les pommes de terre dans une grosse casserole remplie d'eau bouillante salée et faire cuire à feu vif.

Lorsque les pommes de terre sont cuites, les placer dans une grosse casserole épaisse et sécher l'extérieur des pommes de terre à feu moyen.

Retirer la casserole du feu et laisser reposer 15 minutes.

Peler les pommes de terre et les passer avec pression à la passoire, dans un bol.

Mélanger les jaunes d'œufs et le lait à la purée de pommes de terre; saler, poivrer et ajouter la muscade.

Placer la purée de pommes de terre dans une poche et forcer la purée sur un plat à gratin.

Faire griller les pommes de terre, à 6 pouces de l'élément supérieur du four, jusqu'à ce qu'elles soient dorées.

168

Pommes de terre à la lyonnaise

(pour 4 personnes)

---

4 POMMES DE TERRE CUITES, À LA TEMPÉRATURE DE LA
    PIÈCE, EN TRANCHES DE ½ POUCE D'ÉPAISSEUR
1 C. À SOUPE DE BEURRE
2 C. À SOUPE D'HUILE VÉGÉTALE
1 GROS OIGNON ÉMINCÉ
    SEL
    POIVRE DU MOULIN
1 C. À SOUPE DE PERSIL FRAIS HACHÉ FIN

Faire chauffer le beurre et l'huile dans une sauteuse, à feu vif.

Aussitôt que l'écume disparaît, ajouter les pommes de terre, réduire à feu moyen et faire brunir sur un côté.

Tourner les pommes de terre, ajouter l'oignon et faire cuire 5 à 6 minutes.

Saler et poivrer.

Garnir de persil frais.

169

Pommes de terre à la parisienne

(pour 4 personnes)

---

6 GROSSES POMMES DE TERRE PELÉES ET FROTTÉES
4 C. À SOUPE DE BEURRE
    SEL
    POIVRE DU MOULIN
1 C. À SOUPE DE PERSIL FRAIS HACHÉ FIN

Tailler des morceaux de pommes de terre ronds avec une cuiller à légumes ronde.

Plonger les morceaux de pommes de terre dans l'eau froide et laisser reposer 10 minutes.

Sécher sur des serviettes de papier.

Faire fondre le beurre dans une sauteuse, à feu moyen, jusqu'à l'apparition d'écume.

Ajouter les morceaux de pommes de terre et faire cuire à feu doux, sans couvercle, en remuant fréquemment.

Lorsque les pommes de terre sont dorées, saler et poivrer, et garnir de persil frais.

170

Courgettes à l'italienne

(pour 4 personnes)

---

2 COURGETTES MOYENNES NETTOYÉES
SEL
POIVRE DU MOULIN
HUILE D'ARACHIDE, DANS UNE FRITEUSE, À 325 °F

Trancher les courgettes en deux, dans le sens de la longueur, puis en tranches de ½ pouce d'épaisseur.

Faire frire les courgettes jusqu'à ce qu'elles soient dorées.

Egoutter les courgettes sur des serviettes de papier, saler et poivrer.

Pâtes de base

171

Pâte ordinaire

(2 croûtes à tarte de 9")

Pour la tarte aux pommes, la quiche lorraine, etc.

2¾ T. DE FARINE TOUT USAGE TAMISÉE
½ C. À THÉ DE SEL
1 T. DE SHORTENING À LA TEMPÉRATURE
DE LA PIÈCE
½ T. D'EAU GLACÉE

Placer la farine dans un bol, en cercle.

Placer le sel et le shortening au milieu de ce cercle, et couper le shortening avec deux couteaux ou avec un appareil à pâtisserie pour couper le gras, jusqu'à ce que la farine soit absorbée.

Ajouter l'eau. Incorporer l'eau au shortening et à la farine en « pinçant » la pâte avec le pouce et l'index.

Rassembler la pâte en boule.

Saupoudrer légèrement de farine la boule de pâte et l'envelopper d'un papier ciré.

Placer la pâte au réfrigérateur 3 à 4 heures avant l'usage.

Cette pâte se conserve 3 jours au réfrigérateur, enveloppée d'un papier ciré.

La pâte se conserve 3 mois au congélateur.

La pâte devrait reprendre la température de la pièce avant d'être abaissée.

Cuisson des fonds de tarte: 10 minutes au four, à 400 °F.

172

Pâte sucrée pour tartes

(2 fonds de tarte de 9")

Pour les tartes ouvertes, les tartelettes de fruits, les saint-honoré et les biscuits sucrés.

2¾ T. DE FARINE TOUT USAGE TAMISÉE
1 T. DE SUCRE GLACE
½ T. DE BEURRE DOUX (NON SALÉ) À LA
    TEMPÉRATURE DE LA PIÈCE
½ T. DE SHORTENING À LA TEMPÉRATURE
    DE LA PIÈCE
1 C. À THÉ DE VANILLE
2 OEUFS MOYENS À LA TEMPÉRATURE DE LA PIÈCE

Mélanger la farine et le sucre glace.

Placer la farine et le sucre glace dans un bol, en cercle.

Placer le beurre, le shortening et la vanille au milieu de ce cercle, et couper le gras avec deux couteaux ou avec un appareil à pâtisserie pour couper le gras, jusqu'à ce que la farine soit absorbée.

Ajouter les œufs.

Incorporer les œufs au mélange en « pinçant » la pâte avec le pouce et l'index.

Rassembler la pâte en boule.

Si vous trouvez la pâte trop sèche, ajouter 1 ou 2 c. à soupe d'eau glacée et pincer de nouveau jusqu'à ce que l'eau soit incorporée à la pâte.

Saupoudrer légèrement de farine la boule de pâte et l'envelopper d'un papier ciré.

Placer la pâte au réfrigérateur 3 à 4 heures avant l'usage.

Cette pâte se conserve 3 jours au réfrigérateur, enveloppée d'un papier ciré.

La pâte se conserve 3 mois au congélateur.

Cuisson des fonds de tarte: 10 minutes au four, à 400 °F.

173

Pâte à choux

(pour 12 à 15 gros choux)

Pour les saint-honoré, les éclairs au chocolat, les choux à la crème et les hors-d'œuvre.

    1¼ T. D'EAU
    ½ T. DE BEURRE DOUX (NON SALÉ)
    ½ C. À THÉ DE SEL
    1 T. DE FARINE TOUT USAGE
    6 OEUFS À LA TEMPÉRATURE DE LA PIÈCE
    1 C. À THÉ D'EAU

Faire chauffer le four à 425 °F.

Beurrer légèrement une plaque à biscuits ou un plat en acier inoxydable et le saupoudrer de farine.

Mettre de côté.

Placer l'eau, le sel et le beurre dans une casserole, à feu vif.

Laisser bouillir le liquide 2 à 3 minutes et retirer la casserole du feu.

Ajouter immédiatement toute la farine et remuer vigoureusement avec une cuiller de bois.

Remettre la casserole sur un feu vif et remuer jusqu'à ce que la pâte forme une boule et n'adhère plus à la cuiller.

Retirer la casserole du feu.

Ajouter 5 œufs, un à la fois, en ayant soin que la pâte forme une boule et n'adhère plus à la cuiller avant d'ajouter le prochain.

Placer la pâte dans une poche, presser celle-ci et former des choux sur le plat préparé.

Laisser 2 pouces entre chaque chou.

Battre le dernier œuf avec l'eau.

Brosser soigneusement d'œuf battu chaque chou.

Faire cuire les choux 20 minutes au four.

Eteindre le four.

Percer le fond de chaque chou avec une fourchette.

Remettre les choux au four, fermer la porte du four et laisser reposer 10 à 15 minutes.

Crèmes

174

Crème pâtissière

(2½ tasses)

Pour les choux, éclairs, etc.

---

1 T. DE LAIT
1 C. À SOUPE D'EAU
1 T. DE SUCRE
3 JAUNES D'OEUFS
¼ T. DE FARINE TOUT USAGE TAMISÉE
1 C. À THÉ DE VANILLE

Dans une casserole moyenne, porter le lait et l'eau au point d'ébullition, à feu moyen.

Battre le sucre et les jaunes d'œufs dans un bol, avec une spatule, 3 à 4 minutes, jusqu'à ce que les œufs deviennent mousseux et presque blancs.

Incorporer la farine aux œufs en remuant avec une spatule.

Ajouter la vanille au lait bouillant.

Verser graduellement la moitié du lait bouillant dans les œufs, en remuant constamment avec une cuiller de bois.

Remettre la casserole contenant le lait sur un feu moyen-doux.

Verser graduellement le contenu du bol dans le reste du lait bouillant, en remuant constamment avec une cuiller de bois.

Remuer la crème constamment, à feu moyen, jusqu'à ce qu'elle devienne très épaisse.

Verser la crème dans un bol.

Laisser tiédir la crème et couvrir d'un papier ciré beurré.

Cette crème se conserve 48 heures au réfrigérateur.

175

Crème anglaise

(1¼ tasse)

Cette crème accompagne les gâteaux, la crème glacée, les soufflés servis froids, les fruits frais et le pudding au riz.

---

1 T. DE LAIT BOUILLI TIÈDE
4 JAUNES D'OEUFS
½ T. DE SUCRE

Battre les œufs et le sucre dans une casserole moyenne jusqu'à ce que les œufs deviennent mousseux.

Ajouter le lait bouilli.

Faire cuire le mélange à feu moyen, en remuant constamment avec une cuiller de bois.

Ne pas laisser bouillir le liquide.

Remuer constamment jusqu'à ce que le mélange épaississe et nappe la cuiller.

Verser immédiatement la crème dans un bol en acier inoxydable.

Laisser reposer la crème au moins 24 heures au réfrigérateur avant de l'utiliser.

176

Crème Chantilly

(2 tasses)

---

1 T. DE CRÈME ÉPAISSE (35%), FROIDE

3 C. À SOUPE DE SUCRE GLACE
1 C. À THÉ DE VANILLE

Fouetter la crème et la vanille jusqu'à ce que la crème fouettée devienne ferme.

Incorporer soigneusement le sucre glace à la crème.

177

Crème (sauce) au chocolat

(1 tasse)

2 ONCES DE CHOCOLAT NON SUCRÉ
2 C. À SOUPE DE BEURRE
¾ T. DE SUCRE GLACE
4½ C. À SOUPE DE LAIT ÉVAPORÉ
¼ C. À THÉ DE VANILLE

Placer le chocolat dans un bol d'acier inoxydable.

Placer le bol sur une casserole à demi remplie d'eau bouillante.

Ajouter le reste des ingrédients.

Faire cuire la sauce 20 minutes, en remuant à l'occasion.

178

Soufflé froid aux bananes

(pour 6 personnes)

2 BANANES
2 ONCES DE TIA MARIA
1 T. DE LAIT
1 C. À SOUPE D'EAU FROIDE

5 JAUNES D'OEUFS
1 T. DE SUCRE
2 C. À SOUPE DE GÉLATINE
½ T. D'EAU CHAUDE
2 BLANCS D'OEUFS
2 T. DE CRÈME ÉPAISSE (35%)
   UN MOULE À SOUFFLÉ D'UNE CAPACITÉ DE 6 TASSES

Attacher un collet de papier ciré autour du moule à soufflé avec une ficelle, afin d'augmenter la hauteur du bol à soufflé de 2 pouces.

Mettre de côté.

Peler les bananes et les passer avec pression à la passoire.

Mélanger la liqueur à la purée de banane.

Mettre de côté.

Porter le lait et l'eau froide au point d'ébullition dans une casserole moyenne, épaisse.

Mettre de côté.

Battre les œufs et le sucre 2 à 3 minutes avec une spatule.

Mettre de côté.

Dissoudre la gélatine dans l'eau chaude. Verser dans une petite casserole et faire mijoter 2 minutes.

Ajouter le liquide au lait.

Ajouter les œufs graduellement au lait, en remuant constamment avec un fouet ou une cuiller de bois.

Faire cuire le lait et les œufs à feu moyen en remuant constamment, jusqu'à ce que le mélange nappe la cuiller.

Ne pas laisser bouillir.

Ajouter la purée de banane; bien mélanger.

Laisser le mélange tiédir, sans le laisser « prendre ».

Monter les blancs d'œufs en neige ferme.

Battre la crème afin d'obtenir une crème fouettée ferme.

Incorporer soigneusement la crème fouettée aux blancs d'œufs.

Incorporer soigneusement la crème et les blancs d'œufs au mélange à soufflé.

Verser soigneusement le soufflé dans le moule préparé.

Faire congeler le soufflé au moins 6 heures avant de servir.

179
Crème caramel

(pour 4 à 6 portions)

CARAMEL:

  ⅔ *T. DE SUCRE*
  ½ *T. D'EAU*

CRÈME:

  2 *T. DE LAIT*
  1 *C. À THÉ DE VANILLE*
  1 *C. À SOUPE D'EAU*
  3 *OEUFS MOYENS À LA TEMPÉRATURE DE LA PIÈCE*
  3 *JAUNES D'OEUFS*
  ½ *T. DE SUCRE*

Faire chauffer le four à 350 °F.

CARAMEL: Faire chauffer le sucre et l'eau dans une petite casserole, à feu vif.

Lorsque le sucre devient brun pâle, le verser dans les ramequins.

CRÈME: Dans une casserole moyenne, porter le lait, la vanille et l'eau au point d'ébullition.

Fouetter les œufs et jaunes d'œufs légèrement.

Ajouter le sucre et fouetter jusqu'à ce que le sucre soit incorporé aux œufs.

Verser graduellement le lait dans les œufs en fouettant constamment.

Passer la crème à la passoire et la verser dans les ramequins.

Placer les ramequins dans un plat à rôtir.

Verser de l'eau bouillante dans le plat à rôtir jusqu'à la moitié de la hauteur des ramequins.

Placer le bain-marie soigneusement au four.

Faire cuire les crèmes caramel 40 à 50 minutes.

Retirer les crèmes du four. Refroidir les crèmes avant de les démouler.

Pour démouler les crèmes, presser le bord de la crème.

Placer le plat sur un ramequin et renverser la crème sur le plat.

180

Cerises jubilé

(pour 4 personnes)

Verser les cerises jubilé sur une crème glacée.

---

1 BOÎTE DE 14 ONCES DE CERISES BING, ÉGOUTTÉES
¼ T. DE SUCRE
½ T. D'EAU
½ T. DE KIRSCH
1 C. À THÉ DE FÉCULE DE MAÏS

Placer le sucre et l'eau dans une casserole, à feu vif.

Porter le liquide au point d'ébullition, réduire à feu moyen et laisser mijoter quelques minutes.

Ajouter les cerises égouttées et laisser mijoter 2 à 3 minutes.

Mélanger la fécule de maïs au kirsch et verser ce mélange dans une petite casserole pour le café à la turque, ou dans une très petite casserole.

Faire chauffer le kirsch à feu moyen.

Lorsque le kirsch a presque atteint le point d'ébullition, le verser sur les cerises et le faire flamber.

Servir immédiatement.

181

Quatre-quarts au chocolat

(pour 6 à 8 portions)

---

8 ONCES DE CHOCOLAT SEMI-SUCRÉ
½ LB DE BEURRE DOUX (NON SALÉ) À LA
  TEMPÉRATURE DE LA PIÈCE
4 OEUFS MOYENS À LA TEMPÉRATURE DE LA PIÈCE
1¼ T. DE SUCRE
1½ T. DE FARINE TOUT USAGE TAMISÉE

Faire chauffer le four à 375 °F.

Beurrer un moule à gâteaux de 8 pouces et le saupoudrer de sucre. Mettre de côté.

Placer le chocolat et le beurre dans un bol d'acier inoxydable.

Placer le bol sur une casserole remplie d'eau bouillante.

Lorsque le chocolat est fondu, retirer le bol du feu et laisser refroidir le chocolat quelques minutes.

Battre le sucre et les œufs 4 minutes, jusqu'à ce qu'ils deviennent mousseux.

Incorporer soigneusement le chocolat aux œufs.

Incorporer la farine au mélange.

Verser le mélange dans le moule à gâteaux préparé.

Faire cuire le gâteau 45 minutes au four. Insérer la pointe d'un couteau au milieu du gâteau. Si la lame du couteau en ressort propre, le gâteau est cuit.

Laisser reposer le gâteau 3 à 4 minutes.

Démouler le gâteau sur un gril.

Laisser refroidir le gâteau au moins 2 heures avant de le couper.

182

Pêches Melba

(pour 4 personnes)

---

2 PÊCHES FRAÎCHES, PELÉES ET POCHÉES*, OU
    4 MOITIÉS DE PÊCHES EN CONSERVE, ÉGOUTTÉES
1 DEMIARD DE FRAISES FRAÎCHES NETTOYÉES
    ET ÉQUEUTÉES
4 BOULES DE CRÈME GLACÉE À LA VANILLE
    CRÈME CHANTILLY, POUR GARNIR (RECETTE 176)

---

* Porter 2 t. d'eau et 1 t. de sucre au point d'ébullition, dans une casserole. Plonger soigneusement les moitiés de pêches dans le liquide et faire pocher les pêches 8 minutes.

Retirer la casserole du feu et laisser refroidir les pêches dans le sirop.

Mettre de côté 4 fraises.

Passer le reste des fraises à la passoire.

Placer une boule de crème glacée dans chaque coupe.

Placer 1 c. à thé de purée de fraises sur chaque boule de crème glacée.

Disposer une moitié de pêche sur chaque boule de crème glacée.

Verser le reste de la purée de fraises sur les pêches.

Garnir de crème Chantilly.

Couper en deux les 4 fraises réservées.

Disposer les moitiés de fraises dans les coupes.

183

Poires Hélène

2 POIRES FRAÎCHES, PELÉES ET POCHÉES,* OU
4 MOITIÉS DE POIRES EN CONSERVE, ÉGOUTTÉES
4 BOULES DE CRÈME GLACÉE À LA VANILLE
CRÈME CHANTILLY, POUR GARNIR (RECETTE 176)
$\frac{1}{4}$ À $\frac{1}{2}$ T. DE SAUCE AU CHOCOLAT (RECETTE 177)

Placer une boule de crème glacée dans chaque coupe.

Disposer une moitié de poire sur chaque boule de crème glacée.

Verser la sauce au chocolat sur les poires.

Garnir de crème Chantilly.

* Effectuer la préparation décrite à la recette 182.

184

Sabayon chaud

(pour 4 personnes)

Servir dans des petites coupes à dessert ou verser sur des fruits frais, tels que les framboises.

    ¾ *T. DE SUCRE*
    4 *JAUNES D'OEUFS*
    2 *OEUFS*
    ½ *T. DE VIN BLANC SEC* *
    3 *C. À SOUPE DE LIQUEUR DE VOTRE CHOIX*

Combiner le sucre, les jaunes d'œufs et les œufs dans un bol d'acier inoxydable.
Placer le bol sur une casserole remplie d'eau à peine bouillante.
Fouetter 3 à 4 minutes.

Ajouter le vin blanc.
Continuer à fouetter vigoureusement jusqu'à ce que le mélange soit très épais.
Verser graduellement la liqueur dans le sabayon.
Servir immédiatement.

185

Salade de fruits Zambie

(pour 2 personnes)

---

    1 *ANANAS FRAIS*
    1 *DEMIARD DE FRAISES, NETTOYÉES, ÉQUEUTÉES*
       ET COUPÉES EN DEUX

---

* Si vous remplacez le vin blanc par du marsala sucré, le dessert devient un « zabaione ».

20 RAISINS SANS PÉPINS, ÉQUEUTÉS
1 ORANGE PELÉE, DIVISÉE EN SECTIONS
   (EN ENLEVER LES SEMENCES)
3 C. À SOUPE DE SUCRE
3 ONCES DE KIRSCH
½ T. DE CRÈME ÉPAISSE (35%)
1 C. À SOUPE DE SUCRE GLACE

Trancher l'ananas en deux, dans le sens de la longueur. Retirer la chair de l'ananas.

Mettre de côté les moitiés d'ananas évidées.

Couper la chair en cubes de ½ pouce.

Mélanger les cubes d'ananas, les fraises, les raisins, l'orange, le sucre et le kirsch dans un bol.

Couvrir d'un papier ciré.

Laisser mariner les fruits 1 à 2 heures au réfrigérateur.

Fouetter la crème jusqu'à ce qu'elle soit ferme.

Incorporer doucement le sucre glace à la crème.

Verser les fruits dans les moitiés d'ananas évidées.

Garnir de crème fouettée.

186

Alaska polaire

(pour 4 personnes)

---

12 DOIGTS DE DAME
1 DEMIARD DE CRÈME GLACÉE À LA VANILLE
5 BLANCS D'OEUFS
½ T. DE SUCRE
3 ONCES DE COGNAC
2 ONCES DE COGNAC À L'ORANGE

Faire chauffer le four à « broil ».

Beurrer un plateau d'acier inoxydable et le saupoudrer de sucre.

Disposer 6 doigts de dame sur le plat préparé, en les serrant les uns contre les autres.

Placer soigneusement la crème glacée sur les doigts de dame.

Placer le plat au congélateur.

Monter les blancs d'œufs en neige ferme.

Ajouter graduellement le sucre aux blancs d'œufs, en fouettant.

Retirer le plat du congélateur.

Etendre la moitié des blancs d'œufs en neige sur la crème glacée et sur les doigts de dame.

Toutes les surfaces doivent être scellées avec les blancs d'œufs.

Garnir l'alaska polaire avec le reste des blancs d'œufs en neige.

Faire cuire l'alaska polaire 3 minutes au milieu du four, jusqu'à ce qu'il devienne brun pâle.

Retirer le plat du four.

Verser le cognac et le cognac à l'orange dans une petite casserole pour le café turc, et faire chauffer à feu vif.

Lorsque la liqueur est chaude, la faire flamber et la verser sur l'alaska polaire.

Servir immédiatement.

Index

Les chiffres qui suivent chaque recette indiquent le **numéro de la recette** et non la page.

221

Achevé d'imprimer sur les presses de
L'IMPRIMERIE ELECTRA
pour
LES EDITIONS DE L'HOMME LTÉE

Ouvrages parus
chez les Éditeurs du groupe Sogides

Ouvrages parus aux
ÉDITIONS
DE L'HOMME

ART CULINAIRE

Art de vivre en bonne santé (L'),
  Dr W. Leblond, **3.00**
Boîte à lunch (La), L. Lagacé, **3.00**
101 omelettes, M. Claude, **2.00**
Choisir ses vins, P. Petel, **2.00**
Cocktails de Jacques Normand (Les),
  J. Normand, **2.00**
Congélation (La), S. Lapointe, **2.00**
Cuisine avec la farine Robin Hood (La),
  Robin Hood, **2.00**
Cuisine chinoise (La), L. Gervais, **3.00**
Cuisine de maman Lapointe (La),
  S. Lapointe, **2.00**
Cuisine des 4 saisons (La),
  Mme Hélène Durand-LaRoche, **3.00**
Cuisine française pour Canadiens,
  R. Montigny, **3.00**
Cuisine en plein air, H. Doucet, **2.00**
Cuisine italienne (La), Di Tomasso, **2.00**
Diététique dans la vie quotidienne,
  L. Lagacé, **3.00**
En cuisinant de 5 à 6, J. Huot, **2.00**
Fondues et flambées, S. Lapointe, **2.00**

Grande Cuisine au Pernod (La),
  S. Lapointe, **3.00**
Hors-d'oeuvre, salades et buffets froids,
  L. Dubois, **2.00**
Madame reçoit, H.D. LaRoche, **2.50**
Mangez bien et rajeunissez, R. Barbeau, **3.00**
Recettes à la bière des grandes cuisines
  Molson, M.L. Beaulieu, **2.00**
Recettes au "blender", J. Huot, **3.00**
Recettes de maman Lapointe,
  S. Lapointe, **2.00**
Recettes de gibier, S. Lapointe, **3.00**
Régimes pour maigrir, M.J. Beaudoin, **2.50**
Soupes (Les), C. Marécat, **2.00**
Tous les secrets de l'alimentation,
  M.J. Beaudoin, **2.50**
Vin (Le), P. Petel, **3.00**
Vins, cocktails et spiritueux,
  G. Cloutier, **2.00**
Vos vedettes et leurs recettes,
  G. Dufour et G. Poirier, **3.00**
Y'a du soleil dans votre assiette,
  Georget-Berval-Gignac, **3.00**

DOCUMENTS, BIOGRAPHIE

Acadiens (Les), E. Leblanc, **2.00**
Bien-pensants (Les), P. Berton, **2.50**
Blow up des grands de la chanson,
  M. Maill, **3.00**
Bourassa-Québec, R. Bourassa, **1.00**
Camillien Houde, H. Larocque, **1.00**

Canadians et nous (Les), J. De Roussan, **1.00**
Ce combat qui n'en finit plus,
  A. Stanké,-J.L. Morgan, **3.00**
Charlebois, qui es-tu?, B. L'Herbier, **3.00**
Chroniques vécues des modestes origines
  d'une élite urbaine, H. Grenon, **3.50**

Conquête de l'espace (La), J. Lebrun, 5.00

Des hommes qui bâtissent le Québec, collaboration, 3.00

Deux innocents en Chine rouge, P.E. Trudeau, J. Hébert, 2.00

Drapeau canadien (Le), L.A. Biron, 1.00

Drogues, J. Durocher, 2.00

Egalité ou indépendance, D. Johnson, 2.00

Epaves du Saint-Laurent (Les), J. Lafrance, 3.00

Etat du Québec (L'), collaboration, 1.00

Félix Leclerc, J.P. Sylvain, 2.00

Fabuleux Onassis (Le), C. Cafarakis, 3.00

Fête au village, P. Legendre, 2.00

FLQ 70: Offensive d'automne, J.C. Trait, 3.00

France des Canadiens (La), R. Hollier, 1.50

Greffes du coeur (Les), collaboration, 2.00

Hippies (Les), Time-coll., 3.00

Imprévisible M. Houde (L'), C. Renaud, 2.00

Insolences du Frère Untel, F. Untel, 1.50

J'aime encore mieux le jus de betteraves, A. Stanké, 2.50

Juliette Béliveau, D. Martineau, 3.00

La Bolduc, R. Benoit, 1.50

Lamia, P.T. De Vosjoli, 5.00

L'Ermite, L. Rampa, 3.00

Magadan, M. Solomon, 6.00

Mammifères de mon pays, Duchesnay-Dumais, .2.00

Masques et visages du spiritualisme contemporain, J. Evola, 5.00

Médecine d'aujourd'hui, Me A. Flamand, 1.00

Médecine est malade, Dr L. Joubert, 1.00

Michèle Richard raconte Michèle Richard, M. Richard, 2.50

Mozart, raconté en 50 chefs-d'oeuvre, P. Roussel, 5.00

Nationalisation de l'électricité (La), P. Sauriol, 1.00

Napoléon vu par Guillemin, H. Guillemin, 2.50

On veut savoir, (4 t.), L. Trépanier, 1.00 ch.

Option Québec, R. Lévesque, 2.00

Pellan, G. Lefebvre, 18.95

Poissons du Québec, Juschereau-Duchesnay, 1.00

Pour entretenir la flamme, L. Rampa, 3.00

Pour une radio civilisée, G. Proulx, 2.00

Prague, l'été des tanks, collaboration, 3.00

Premiers sur la lune, Armstrong-Aldrin-Collins, 6.00

Prisonniers à l'Oflag 79, P. Vallée, 1.00

Prostitution à Montréal (La), T. Limoges, 1.50

Québec 1800, W.H. Bartlett, 15.00

Rage des goof-balls, A. Stanké-M.J. Beaudoin, 1.00

Rescapée de l'enfer nazi, R. Charrier, 1.50

Révolte contre le monde moderne, J. Evola, 6.00

Riopelle, G. Robert, 3.50

Taxidermie, (2e édition), J. Labrie, 4.00

Terrorisme québécois (Le), Dr G. Morf, 3.00

Ti-blanc, mouton noir, R. Laplante, 2.00

Treizième chandelle, L. Rampa, 3.00

Trois vies de Pearson (Les), Poliquin-Beal, 3.00

Trudeau, le paradoxe, A. Westell, 5.00

Une culture appelée québécoise, G. Turi, 2.00

Une femme face à la Confédération, M.B. Fontaine, 1.50

Un peuple oui, une peuplade jamais! J. Lévesque, 3.00

Un Yankee au Canada, A. Thério, 1.00

Vizzini, S. Vizzini, 5.00

Vrai visage de Duplessis (Le), P. Laporte, 2.00

ENCYCLOPEDIES

Encyclopédie de la maison québécoise, Lessard et Marquis, 6.00

Encyclopédie des antiquités du Québec, Lessard et Marquis, 6.00

Encyclopédie des oiseaux du Québec, W. Earl Godfrey, 6.00

Encyclopédie du jardinier horticulteur, W.H. Perron, 6.00

Encyclopédie du Québec, Vol. I et Vol. II, L. Landry, 6.00 ch.

ESTHETIQUE ET VIE MODERNE

Cellulite (La), Dr G.J. Léonard, 3.00

Charme féminin (Le), D.M. Parisien, 2.00

Chirurgie plastique et esthétique,
Dr A. Genest, 2.00

Embellissez votre corps, J. Ghedin, 2.00

Embellissez votre visage, J. Ghedin, 1.50

Etiquette du mariage, Fortin-Jacques,
Farley, 2.50

Exercices pour rester jeune, T. Sekely, 3.00

Femme après 30 ans, N. Germain, 2.50

Femme émancipée (La), N. Germain et
L. Desjardins, 2.00

Leçons de beauté, E. Serei, 1.50

Savoir se maquiller, J. Ghedin, 1.50

Savoir-vivre, N. Germain, 2.50

Savoir-vivre d'aujourd'hui (Le),
M.F. Jacques, 2.00

Sein (Le), collaboration, 2.50

Soignez votre personnalité, messieurs,
E. Serei, 2.00

Vos cheveux, J. Ghedin, 2.50

Vos dents, Archambault-Déom, 2.00

LINGUISTIQUE

Améliorez votre français, J. Laurin, 2.50

Anglais par la méthode choc (L'),
J.L. Morgan, 2.00

Dictionnaire en 5 langues, L. Stanké, 2.00

Mirovox, H. Bergeron, 1.00

Petit dictionnaire du joual au français,
A. Turenne, 2.00

Savoir parler, R.S. Catta, 2.00

Verbes (Les), J. Laurin, 2.50

LITTERATURE

Amour, police et morgue, J.M. Laporte, 1.00

Bigaouette, R. Lévesque, 2.00

Bousille et les Justes, G. Gélinas, 2.00

Candy, Southern & Hoffenberg, 3.00

Cent pas dans ma tête (Les), P. Dudan, 2.50

Commettants de Caridad (Les),
Y. Thériault, 2.00

Des bois, des champs, des bêtes,
J.C. Harvey, 2.00

Dictionnaire d'un Québécois,
C. Falardeau, 2.00

Ecrits de la Taverne Royal, collaboration, 1.00

Gésine, Dr R. Lecours, 2.00

Hamlet, Prince du Québec, R. Gurik, 1.50

Homme qui va (L'), J.C. Harvey, 2.00

J'parle tout seul quand j'en narrache,
E. Coderre, 2.00

Mort attendra (La), A. Malavoy, 1.00

Malheur a pas des bons yeux,
R. Lévesque, 2.00

Marche ou crève Carignan, R. Hollier, 2.00

Mauvais bergers (Les), A.E. Caron, 1.00

Mes anges sont des diables,
J. de Roussan, 1.00

Montréalités, A. Stanké, 1.00

Mort d'eau (La), Y. Thériault, 2.00

Ni queue, ni tête, M.C. Brault, 1.00

Pays voilés, existences, M.C. Blais, 1.50

Pomme de pin, L.P. Dlamini, 2.00

Pour la grandeur de l'homme,
C. Péloquin, 2.00

Printemps qui pleure (Le), A. Thério, 1.00

Prix David, C. Hamel, 2.50

Propos du timide (Les), A. Brie, 1.00

Roi de la Côte Nord (Le), Y. Thériault, 1.00

Temps du Carcajou (Les), Y. Thériault, 2.50

Tête blanche, M.C. Blais, 2.50

Tit-Coq, G. Gélinas, 2.00

Toges, bistouris, matraques et soutanes,
collaboration, 1.00

Un simple soldat, M. Dubé, 1.50

Valérie, Y. Thériault, 2.00

Vertige du dégoût (Le), E.P. Morin, 1.00

LIVRES PRATIQUES – LOISIRS

Alimentation pour futures mamans,
T. Sekely et R. Gougeon, **3.00**

Apprenez la photographie avec Antoine
Desilets, A. Desilets, **3.50**

Bougies (Les), W. Schutz, **4.00**

Bricolage (Le), J.M. Doré, **3.00**

Cabanes d'oiseaux (Les), J.M. Doré, **3.00**

Camping et caravaning, J. Vic et
R. Savoie, **2.50**

Cinquante et une chansons à répondre,
P. Daigneault, **2.00**

Comment prévoir le temps, E. Neal, **1.00**

Conseils à ceux qui veulent bâtir,
A. Poulin, **2.00**

Conseils aux inventeurs, R.A. Robic, **1.50**

Couture et tricot, M.H. Berthouin, **2.00**

Décoration intérieure (La), J. Monette, **3.00**

Fléché (Le), L. Lavigne et F. Bourret, **4.00**

Guide complet de la couture (Le),
L. Chartier, **3.50**

Guide de l'astrologie (Le), J. Manolesco, **3.00**

Guide de la haute-fidélité, G. Poirier, **4.00**

8/Super 8/16, A. Lafrance, **5.00**

Hypnotisme (L'), J. Manolesco, **3.00**

Informations touristiques, la France,
Deroche et Morgan, **2.50**

Informations touristiques, le Monde,
Deroche, Colombani, Savoie, **2.50**

Insolences d'Antoine, A. Desilets, **3.00**

Interprétez vos rêves, L. Stanké, **3.00**

Jardinage (Le), P. Pouliot, **3.00**

J'ai découvert Tahiti, J. Languirand, **1.00**

Je développe mes photos, A. Desilets, **5.00**

Je prends des photos, A. Desilets, **4.00**

Jeux de société, L. Stanké, **2.00**

J'installe mon équipement stéro, T. I et II,
J.M. Doré, **3.00 ch.**

Juste pour rire, C. Blanchard, **2.00**

Météo (La), A. Ouellet, **3.00**

Origami I, R. Harbin, **2.00**

Origami II, R. Harbin, **3.00**

Ouverture aux échecs (L'), C. Coudari, **4.00**

Poids et mesures, calcul rapide,
L. Stanké, **3.00**

Pourquoi et comment cesser de fumer,
A. Stanké, **1.00**

La retraite, D. Simard, **2.00**

Technique de la photo, A. Desilets, **4.00**

Techniques du jardinage (Les),
P. Pouliot, **5.00**

Tenir maison, F.G. Smet, **2.00**

Tricot (Le), F. Vandelac, **3.00**

Trucs de rangement no 1, J.M. Doré, **3.00**

Trucs de rangement no 2, J.M. Doré, **3.00**

Une p'tite vite, G. Latulippe, **2.00**

Vive la compagnie, P. Daigneault, **3.00**

Voir clair aux échecs, H. Tranquille, **3.00**

Voir clair aux dames, H. Tranquille, **3.00**

Votre avenir par les cartes, L. Stanké, **3.00**

Votre discothèque, P. Roussel, **4.00**

LE MONDE DES AFFAIRES ET LA LOI

ABC du marketing (L'), A. Dahamni, **3.00**

Bourse, (La), A. Lambert, **3.00**

Budget (Le), collaboration, **3.00**

Ce qu'en pense le notaire, Me A. Senay, **2.00**

Connaissez-vous la loi? R. Millet, **2.00**

Cruauté mentale, seule cause du divorce?
(La), Me Champagne et Dr Léger, **2.50**

Dactylographie (La), W. Lebel, **2.00**

Dictionnaire des affaires (Le), W. Lebel, **2.00**

Dictionnaire économique et financier,
E. Lafond, **4.00**

Dictionnaire de la loi (Le), R. Millet, **2.50**

Dynamique des groupes,
Aubry-Saint-Arnaud, **1.50**

Guide de la finance (Le), B. Pharand, **2.50**

Loi et vos droits (La),
Me P.A. Marchand, **4.00**

Secrétaire (Le/La) bilingue, W. Lebel, **2.50**

PATOF

Cuisinons avec Patof, J. Desrosiers, **1.29**

Patof raconte, J. Desrosiers, **0.89**

Patofun, J. Desrosiers, **0.89**

SANTE, PSYCHOLOGIE, EDUCATION

Activité émotionnelle, P. Fletcher, **3.00**

Adolescent veut savoir (L'),
Dr L. Gendron, **3.00**

Adolescente veut savoir (L'),
Dr L. Gendron, **2.00**

Amour après 50 ans (L'), Dr L. Gendron, **2.00**

Apprenez à connaître vos médicaments,
R. Poitevin, **3.00**

Complexes et psychanalyse,
P. Valinieff, **2.50**

Comment vaincre la gêne et la timidité,
R.S. Catta, **2.00**

Communication et épanouissement
personnel, L. Auger, **3.00**

Contraception (La), Dr L. Gendron, **3.00**

Couple sensuel (Le), Dr L. Gendron, **$2.00**

Cours de psychologie populaire,
F. Cantin, **$2.50**

Dépression nerveuse (La), collaboration, **2.50**

Développez votre personnalité,
vous réussirez, S. Brind'Amour, **2.00**

En attendant mon enfant,
Y.P. Marchessault, **3.00**

Femme enceinte (La), Dr R. Bradley, **2.50**

Femme et le sexe (La), Dr L. Gendron, **2.00**

Guérir sans risques, Dr E. Plisnier, **3.00**

Guide des premiers soins, Dr J. Hartley, **3.00**

Guide médical de mon médecin de famille,
Dr M. Lauzon, **3.00**

Homme et l'art érotique (L'),
Dr L. Gendron, **2.00**

Langage de votre enfant (Le),
C. Langevin, **2.50**

Maladies transmises par relations sexuelles,
Dr L. Gendron, **2.00**

Maman et son nouveau-né (La),
T. Sekely, **3.00**

Mariée veut savoir (La), Dr L. Gendron, **2.00**

Ménopause (La), Dr L. Gendron, **2.00**

Merveilleuse Histoire de la naissance (La),
Dr L. Gendron, **4.50**

Madame est servie, Dr L. Gendron, **2.00**

Parents face à l'année scolaire (Les),
collaboration, **2.00**

Pour vous future maman, T. Sekely, **2.00**

Quel est votre quotient psycho-sexuel,
Dr L. Gendron, **2.00**

Qu'est-ce qu'un homme, Dr L. Gendron, **2.00**

Qu'est-ce qu'une femme, Dr L. Gendron, **2.50**

15/20 ans, F. Tournier et P. Vincent, **4.00**

Relaxation sensorielle (La), Dr P. Gravel, **3.00**

Sexualité (La), Dr L. Gendron, **$2.00**

Volonté (La), l'attention, la mémoire,
R. Tocquet, **2.50**

Vos mains, miroir de la personnalité,
P. Maby, **3.00**

Votre écriture, la mienne et celle des
autres, F.X. Boudreault, **2.00**

Votre personnalité, votre caractère,
Y. Benoist-Morin, **2.00**

Yoga, corps et pensée, B. Leclercq, **3.00**

Yoga, santé totale pour tous,
G. Lescouflair, **1.50**

Yoga sexe, Dr Gendron et S. Piuze, **3.00**

SPORTS (collection dirigée par Louis Arpin)

ABC du hockey (L'), H. Meeker, **3.00**

Aérobix, Dr P. Gravel, **2.50**

Aïkido, au-delà de l'agressivité,
M. Di Villadorata, **3.00**

Armes de chasse (Les), Y. Jarretie, **2.00**

Baseball (Le), collaboration, **2.50**

Course-Auto 70, J. Duval, **3.00**

Courses de chevaux (Les), Y. Leclerc, **3.00**

Devant le filet, J. Plante, **3.00**

Golf (Le), J. Huot, **2.00**

Football (Le), collaboration, **2.50**

Football professionnel, J. Séguin, **3.00**

Guide de l'auto (Le) (1967), J. Duval, **2.00**
(1968-69-70-71), **3.00** chacun

Guide du judo, au sol (Le), L. Arpin, **3.00**
Guide du judo, debout (Le), L. Arpin, **4.00**
Guide du self-defense (Le), L. Arpin, **4.00**
Guide du ski: **Québec 72**, collaboration, **2.00**
Guide du ski **73**, Collaboration, **2.00**
Guide du trappeur,
  P. Provencher, **3.00**
Initiation à la plongée sous-marine,
  R. Goblot, **5.00**
J'apprends à nager, R. Lacoursière, **4.00**
Karaté (Le), M. Mazaltarim, **4.00**
Livre des règlements, LNH **1.00**
Match du siècle: Canada-URSS,
  D. Brodeur, G. Terroux, **3.00**
Mon coup de patin, le secret du hockey,
  J. Wild, **3.00**
Natation (La), M. Mann, **2.50**
Natation de compétition, R. LaCoursière, **3.00**
Parachutisme, C. Bédard, **4.00**

Pêche au Québec (La), M. Chamberland, **3.00**
Petit guide des Jeux olympiques,
  J. About-M. Duplat, **2.00**
Puissance au centre, Jean Béliveau,
  H. Hood, **3.00**
Ski (Le), W. Schaffler-E. Bowen, **3.00**
Soccer, G. Schwartz, **3.50**
Stratégie au hockey (La), J.W. Meagher, **3.00**
Surhommes du sport, M. Desjardins, **3.00**
Techniques du golf,
  L. Brien et J. Barrette, **3.50**
Tennis (Le), W.F. Talbert, **2.50**
Tous les secrets de la chasse,
  M. Chamberland, **1.50**
Tous les secrets de la pêche,
  M. Chamberland, **2.00**
36-24-36, A. Coutu, **2.00**
Troisième retrait, C. Raymond,
  M. Gaudette, **3.00**
Vivre en forêt, P. Provencher, **4.00**

Ouvrages parus a
L'ACTUELLE
JEUNESSE

Crimes à la glace, P.S. Fournier, **1.00**
Echec au réseau meurtrier, R. White, **1.00**
Engrenage, C. Numainville, **1.00**
Feuilles de thym et fleurs d'amour,
  M. Jacob, **1.00**
Lady Sylvana, L. Morin, **1.00**
Moi ou la planète, C. Montpetit, **$1.00**

Porte sur l'enfer, M. Vézina, **1.00**
Silences de la croix du Sud (Les),
  D. Pilon, **1.00**
Terreur bleue (La), L. Gingras, **1.00**
Trou, S. Chapdelaine, **1.00**
22,222 milles à l'heure, G. Gagnon, **1.00**

Ouvrages parus a
L'ACTUELLE

Aaron, Y. Thériault, **2.50**
Agaguk, Y. Thériault, **3.00**
Allocutaire (L'), G. Langlois, **3.00**
Bois pourri (Le), A. Maillet, **2.50**
Carnivores (Les), F. Moreau, **2.00**

Carré Saint-Louis, J.J. Richard, **3.00**
Centre-ville, J.-J. Richard, **3.00**
Cul-de-sac, Y. Thériault, **3.00**
Danka, M. Godin, **3.00**
Demi-civilisés (Les), J.C. Harvey, **3.00**
Dernier havre (Le), Y. Thériault, **2.50**

Domaine de Cassaubon (Le),
G. Langlois, 3.00
Dompteur d'ours (Le), Y. Thériault, 2.50
Doux Mal (Le), A. Maillet, 2.50
D'un mur à l'autre, P.A. Bibeau, 2.50
Et puis tout est silence, C. Jasmin, 3.00
Fille laide (La), Y. Thériault, 3.00
Jeu des saisons (Le),
M. Ouellette-Michalska, 2.50
Marche des grands cocus (La),
R. Fournier, 3.00
Monsieur Isaac, N. de Bellefeuille et
G. Racette, 3.00
Mourir en automne, C. DeCotret, 2.50
Neuf jours de haine, J.J. Richard, 3.00

N'Tsuk, Y. Thériault, 2.00
Ossature, R. Morency, 3.00
Outaragasipi (L'), C. Jasmin, 3.00
Petite Fleur du Vietnam, C. Gaumont, 3.00
Pièges, J.J. Richard, 3.00
Porte Silence, P.A. Bibeau, 2.50
Requiem pour un père, F. Moreau, 2.50
Scouine (La), A. Laberge, 3.00
Tayaout, fils d'Agaguk, Y. Thériault, 2.50
Tours de Babylone (Les), M. Gagnon, 3.00
Vendeurs du Temple, Y. Thériault, 3.00
Visages de l'enfance (Les), D. Blondeau, 3.00
Vogue (La), P. Jeancard, 3.00

Ouvrages parus aux
PRESSES
LIBRES

Amour (L'), collaboration, 6.00
Amour humain (L'), R. Fournier, 2.00
Anik, Gilan, 3.00
Anti-sexe (L'), J.P. Payette, 3.00
Ariâme . . .Plage nue, P. Dudan, 3.00
Assimilation pourquoi pas? (L'),
L. Landry, 2.00
Aventures sans retour, C.J. Gauvin, 3.00
Bateau ivre (Le), M. Metthé, 2.50
Cent Positions de l'amour (Les),
H. Benson, 4.00
Comment devenir vedette, J. Beaulne, 3.00
Couple sensuel (Le), Dr L. Gendron, 2.00
Des Zéroquois aux Québécois,
C. Falardeau, 2.00
Emmanuelle à Rome, 5.00
Femme au Québec (La),
M. Barthe et M. Dolment, 3.00
Franco-Fun Kébecwa, F. Letendre, 2.50
Guide des caresses, P, Valinieff, 3.00
Incommunicants (Les), L. Leblanc, 3.00
Initiation à Menke Katz, A. Amprimoz, 1.50
Joyeux Troubadours (Les), A. Rufiange, 2.00
Ma cage de verre, M. Metthé, 2.50
Maria de l'hospice, M. Grandbois, 2.00
Menues, dodues, Gilan, 3.00

Mes expériences autour du monde,
R. Boisclair, 3.00
Mine de rien, G. Lefebvre, 2.00
Monde agricole (Le), J.C. Magnan, 3.50
Négresse blonde aux yeux bridés,
C. Falardeau, 2.00
Paradis sexuel des aphrodisiaques (Le),
M. Rouet, 4.00
Plaidoyer pour la grève et la contestation,
A. Beaudet, 2.00
Positions +, J. Ray, 3.00
Pour une éducation de qualité au Québec,
C.H. Rondeau, 2.00
Québec français ou Québec québécois,
L. Landry, 3.00
Rêve séparatiste, L. Rochette, 2.00
Salariés au pouvoir (Les), Frap, 1.00
Séparatiste, non, 100 fois non!
Comité Canada, 2.00
Teach-in sur l'avortement,
Cegep de Sherbrooke, 3.00
Terre a une taille de guêpe (La),
P. Dudan, 3.00
Tocap, P. de Chevigny, 2.00
Virilité et puissance sexuelle, M. Rouet, 3.00
Voix de mes pensées (La), E. Limet, 2.50

Diffusion Europe

Vander, Muntstraat 10, 3000 Louvain, Belgique

CANADA	BELGIQUE	FRANCE
$2.00	100 FB	12 F
$2.50	125 FB	15 F
$3.00	150 FB	18 F
$3.50	175 FB	21 F
$4.00	200 FB	24 F
$5.00	250 FB	30 F
$6.00	300 FB	36 F